MANUEL FILHO

No Coração da Amazônia

7ª impressão

PANDA BOOKS

Texto © Manuel Filho
Ilustrações © Anthony Mazza

Direção editorial
Marcelo Duarte
Patth Pachas
Tatiana Fulas

Gerente editorial
Vanessa Sayuri Sawada

Assistentes editoriais
Henrique Torres
Laís Cerullo

Assistente de arte
Samantha Culceag

Diagramação
Carla Almeida Freire
Vanessa Sayuri Sawada

Preparação
Beatriz de Freitas Moreira

Impressão
Loyola

CIP-BRASIL. CATALOGAÇÃO NA PUBLICAÇÃO
SINDICATO NACIONAL DOS EDITORES DE LIVROS, RJ

Filho, Manuel
No coração da Amazônia / Manuel Filho; ilustrações Anthony Mazza. – 1. ed. – São Paulo: Panda Books, 2017. 176 pp.

ISBN: 978-85-7888-661-5

1. Ficção infantojuvenil brasileira. I. Mazza, Anthony. II. Título.

17-42161　　　　　　　　　　　　　　　　CDD: 028.5
　　　　　　　　　　　　　　　　　　　　CDU: 087.5

2024
Todos os direitos reservados à Panda Books.
Um selo da Editora Original Ltda.
Rua Henrique Schaumann, 286, cj. 41
05413-010 – São Paulo – SP
Tel./Fax: (11) 3088-8444
edoriginal@pandabooks.com.br
www.pandabooks.com.br
Visite nosso Facebook, Instagram e Twitter.

Nenhuma parte desta publicação poderá ser reproduzida por qualquer meio ou forma sem a prévia autorização da Editora Original Ltda. A violação dos direitos autorais é crime estabelecido na Lei nº 9.610/98 e punido pelo artigo 184 do Código Penal.

FSC
MISTO
Papel | Apoiando
o manejo florestal
responsável
FSC® C008008

*Para Andrelina e Eliana,
com muito carinho.*

Sumário

Ah, se eu soubesse!... 7

1. Um rio negro 10

2. Que peixe estranho 28

3. O silêncio dos inocentes 43

4. Todo mundo faz 62

5. Faz parte da família 81

6. Liberdade! Liberdade? 95

7. Os dois lados da moeda 112

8. Imitando a natureza 131

9. As pequenas grandes mudanças 146

10. Uma delicada surpresa 163

Ah, se eu soubesse!...

Hoje não teve jeito. Quando minha mãe entrou no meu quarto e viu que depois de sete meses no Brasil eu ainda não havia desarrumado as malas completamente, ela ORDENOU que eu colocasse TUDO em ordem. Eu tinha largado um monte de coisas num canto porque eram roupas de frio e objetos que eu nem sabia se iria usar novamente. Só deixei no cabide as roupas do dia a dia. Não era uma bagunça. Da maneira que ela contou para o meu pai, parecia que tinha acontecido uma guerra no meu quarto.

Porém, no fim das contas, até que foi legal. Encontrei várias recordações dos meus amigos que ficaram na Alemanha. Só não sinto muita falta deles porque trocamos informações e fotos a todo momento. Alguns, inclusive, já me disseram que querem vir pra cá qualquer dia desses. O mais emocionante foi encontrar um pedacinho de papel que estava esquecido no bolso de uma mala, trancado por um zíper. Enfiei a mão lá dentro e, quando puxei, veio a passagem aérea que usei para vir pro Brasil toda amassada.

Era só um pedaço de papel, mas trazia tanta expectativa, tantos sonhos... Olhando para ela, começo a relembrar, como se fosse agora, tudo o que aconteceu desde que eu cheguei aqui... Ah, se eu soubesse!...

1
Um rio negro

"Senhores passageiros, em alguns instantes pousaremos no aeroporto da cidade de Manaus. Por favor..."

Nossa! Quase dei um pulo do meu assento apertado. Eu já voava havia tanto tempo que, mais um pouquinho, iria virar passarinho. Primeiro fiz um voo de mais de DEZ HORAS de Frankfurt, na Alemanha, até o Rio de Janeiro, no Brasil. Então, tive que esperar outras três ou quatro horas para pegar o voo para Manaus, a capital do estado do Amazonas sobre a qual eu tanto tinha ouvido falar nos últimos anos.

Nem podia acreditar que, finalmente, fazia essa viagem. Tenho um belo desafio pela frente, mas estou muito empolgado com tudo o que me espera. Minha avó é brasileira; vivia no Rio Grande do Sul. Quando ela se casou com meu avô, que é alemão como eu, acabou tendo que se mudar para a Alemanha, porém, nunca esqueceu a sua terra natal. Cresci ouvindo as histórias que ela contava, as viagens que havia feito: as praias lindas, o povo caloroso, a Floresta Amazônica e a imensidão do país. Sempre tive vontade de vir para cá, mas não esperava que fosse me mudar tão cedo.

Meus pais são músicos e frequentemente tocavam em uma das orquestras mais famosas da Alemanha. Há cerca de uns dois anos, participaram de um concerto em Manaus e ficaram encantados com a história da região. Eles me contaram que tiveram dificuldade para se comunicar no princípio, entendiam melhor do que falavam, porém, aos poucos, foram se virando. A gente sempre falou um pouco de português em casa porque a minha avó ensinava para todos. Na verdade, ela jamais conseguiu falar alemão muito bem, o que nos forçou a aprender português. No fim, meus pais ficaram tão apaixonados pela Amazônia que tiveram uma ideia que, no início, parecia impossível: criar uma ONG para ensinar música para os jovens e também fazer um intercâmbio do conhecimento dos sons e instrumentos dos povos locais.

Quando alguém comentava que meu pai tinha enlouquecido, ele falava:

— Se alguém conseguiu erguer um dos teatros mais lindos do mundo em plena Floresta Amazônica no século XIX, não é possível que eu não consiga construir uma ONG nos dias de hoje, que será bem menor, afinal de contas.

O primeiro problema que ele teve que enfrentar foi a questão do dinheiro para iniciar o projeto. Meus pais eram profissionais respeitados e já tinham gravado várias peças musicais. Sempre que eu contava isso, a primeira pergunta que me faziam era se eles pertenciam a algum grupo de rock. Eu achava engraçado porque nem rock se ouvia em casa. O fato é que eles recebiam dinheiro pelos direitos autorais e estavam dispostos a investir na criação da ONG que, para eles, seria a realização de um grande sonho: morar no Brasil e ainda ensinar música para jovens. Em seguida, foram atrás de amigos e de entidades na Alemanha que já haviam passado por experiências semelhantes para aprender sobre documentos, burocracia, um monte de procedimentos. Nesse período, eles ficavam muito cansados.

No momento em que eles me perguntaram se eu topava entrar nessa aventura, não tive nenhuma dúvida: disse SIM na hora. Fiquei empolgado para ver de perto tudo o que eu sempre tinha ouvido falar apenas pela minha avó. E depois, se eu não gostasse, poderia voltar para a Alemanha e viria visitá-los de vez em quando e vice-versa. Não seria o fim do mundo, afinal, eu já tinha alguns planos de sair de mochila por aí conhecendo lugares e a ideia de começar pela Floresta Amazônica me parecia fascinante.

Quando meus pais chegaram aqui para fundar definitivamente A MÚSICA NA FLORESTA, foi esse o nome que eles deram para a ONG, eu fiquei triste porque não pude vir junto. Precisava encerrar minhas aulas para recomeçá-las em seguida no Brasil. Pelo que meus pais me explicaram, eu entraria num período chamado de ensino médio.

Foram os três meses mais longos da minha vida. Acabei ficando muito tempo no computador ou celular: conversando e verificando o que se passava pelas redes sociais. Eu lia mais de dez vezes cada mensagem que chegava e não conseguia acreditar em tudo o que meus pais me contavam: árvores imensas, espaços impenetráveis, dias e dias navegando um único rio para chegar a outra cidade, rios tão largos que não dava para ver as margens, animais singulares, jacarés de seis metros, piranhas, árvores de borracha.

Era tanta novidade, todos os dias, que eu até duvidava de determinadas coisas. Como é que pode existir uma cobra de 12 metros de comprimento ou folhas de árvores do tamanho de uma pessoa? Tudo isso dentro de uma floresta só? Ficava difícil de acreditar, mas eles me diziam que aquilo era só o começo.

Finalmente havia chegado o dia em que eu iria embarcar. Minha avó chorou muito no aeroporto. Ela até pensou em vir comigo para matar as saudades, porém, meu avô estava doente e ela não podia deixá-lo sozinho. Na verdade, seria ótimo se os dois pudessem viajar para o Brasil.

"Senhores passageiros, mantenham-se sentados, com o cinto de segurança..."

    O aviso que eu esperava! O pouso havia iniciado. Olhei pela janela e era realmente incrível. O verde da floresta se espalhava por todos os lados. Eu conseguia distinguir pouca coisa, mas dava pra ver que o verde não era um só: viam-se centenas de tonalidades diferentes. Acho que nem o maior artista do mundo poderia criar tantas variedades da mesma cor.
    De repente, o avião fez uma curva e tudo ficou escuro. Achei estranho; todo o verde sumiu. Pensei que tivéssemos entrado em alguma nuvem, entretanto, foi algo ainda mais impressionante. Eu olhava pela janela e só conseguia perceber uma imagem meio turva, como se fosse uma nuvem embaçada. Então, o avião acertou o nível e, ao ficar estável novamente, eu compreendi o que havia acontecido. A coisa escura, turva, nada mais era do que o leito de um imenso rio. Lentamente surgiu uma paisagem marrom e depois o verde da floresta voltou. Eu entendi que era a floresta que terminava na margem do rio, deixando uma li-

nha de areia que formava uma espécie de praia e, na sequência, o rio. Aquele deveria ser o rio Negro, imaginei. Dava para ver a água batendo na margem, tremendamente escura.

Lá do alto senti que as histórias dos meus pais deveriam mesmo ser verdadeiras. O rio impressionava; uma série de outros afluentes desaguavam nele. Alguns eram tão retos que pareciam estradas comuns, mas essa ideia era rapidamente desmentida porque eles eram navegados por barcos de diferentes tamanhos. Então, tudo foi sumindo, menos a floresta que ficava cada vez mais próxima. Algumas casas surgiram e logo estávamos em terra: o avião correndo na pista com a floresta ao lado, o tempo todo, como se fosse uma companheira inseparável.

Finalmente o avião parou. Estiquei as pernas e busquei minha mochila no bagageiro. Agora eu estava louco para ver os meus pais. A ansiedade só aumentava. Fui para a esteira de onde eu deveria retirar minha mala: parecia que ela não chegava nunca. Peguei-a, coloquei-a num carrinho e procurei a saída. Fiquei morrendo de vontade de começar a gastar o português que eu tinha aprendido, perguntando para alguém onde era a saída, mas havia uma placa tão grande que a pergunta se tornava desnecessária. Saí e tentei localizar meus pais no meio da

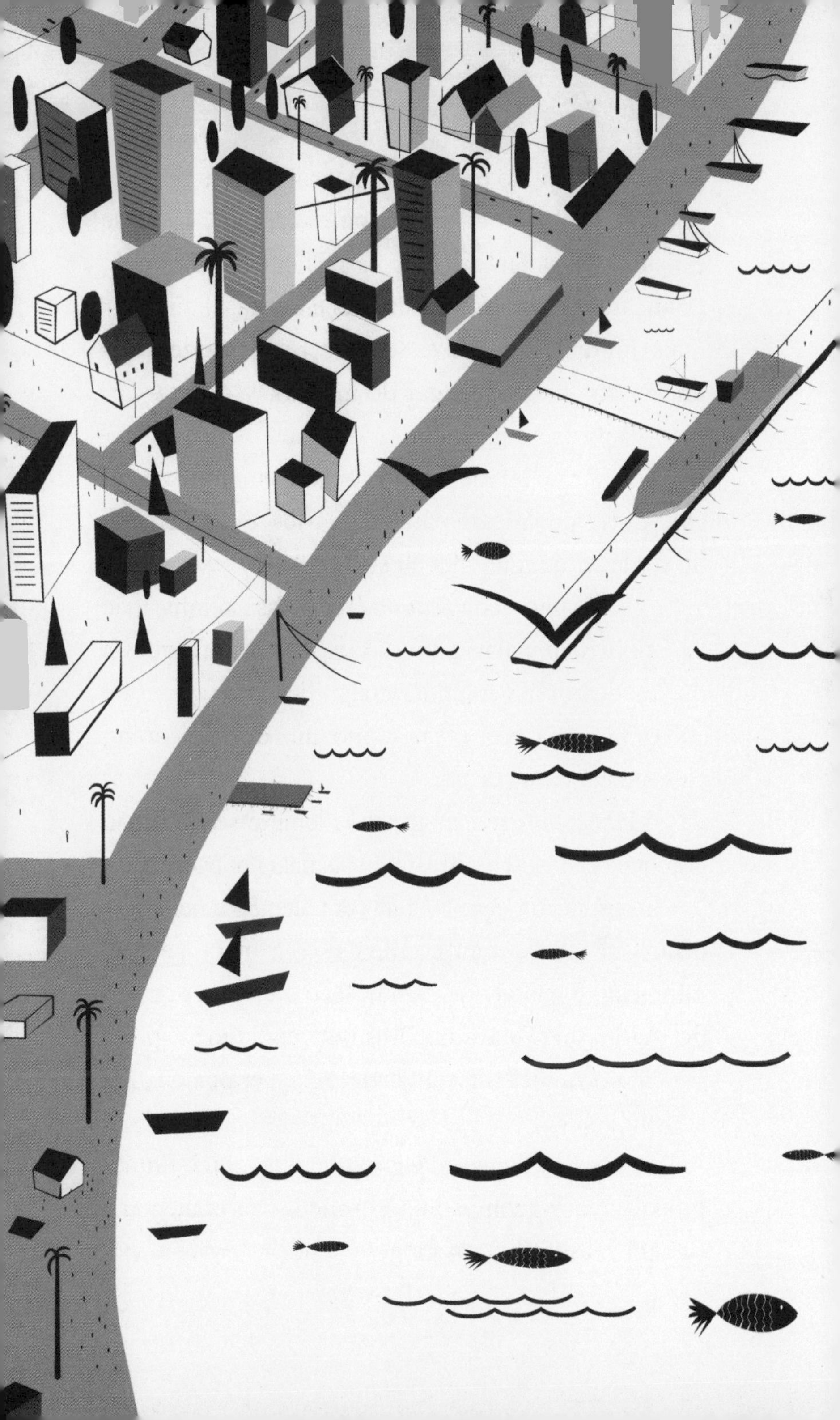

pequena multidão que estava por ali. Vários homens segurando plaquinhas com nomes escritos, gente se esticando para tentar olhar na sala de desembarque, crianças, pessoas uniformizadas e um casal que, por mais diferente que estivesse, eu seria capaz de reconhecer em qualquer lugar do mundo.

– Pai! Mãe! – gritei.

Eles já tinham me visto e corriam em minha direção. Corri igualmente para abraçá-los. Só aí percebi, de verdade, quanta falta eu sentia deles.

– Estávamos com *saudade*! – disse minha mãe usando aquela palavra que só existe em português e que eu demorei a entender o significado.

Comecei a conversar como um doido, porém, eles me interromperam:

– Hans – avisou meu pai –, lembre-se do nosso combinado. Pisou no Brasil só vale falar em português.

Eu tinha começado a falar em alemão e nem percebi. Era tão comum conversar com meus pais na minha língua natal que nem notei o que estava fazendo. Agora que estava no Brasil, só podia me expressar em português, mesmo errado, que era para ir me acostumando.

– Foi muito *longo o viagem* – eu comentei. Então, um jovem que acompanhava os meus pais começou a rir. Achei estranho, mas logo entendi.

— Este é o André — disse meu pai também rindo. — A gente falou dele pra você, lembra?

Olhei para o garoto e realmente me recordei de algumas fotos que meus pais haviam me mandado. Deveria ter uns 13 ou 14 anos, bem magro. O cabelo liso e preto cobria metade da testa. A pele dele, escura e queimada pelo sol, fez com que eu me sentisse um fantasma de tão branco que sou.

— Oi — falou ele ainda tentando segurar o riso.

— Ele é o nosso termômetro — avisou minha mãe. — Se falamos muito errado, ele começa a rir sem parar.

— É que é engraçado o jeito que vocês falam — disse ele. — *O mesa, a carro*. É divertido.

— Vamos embora porque você deve estar *muito cansada* — considerou meu pai enfatizando bem o erro. Ele pegou minha mala e fomos direto para o carro. — Você vai gostar daqui, Hans, tenho certeza.

Não me lembrava de ter visto meu pai de bermudas, e ele estava usando um modelo que jamais pensei, sequer, que ele experimentaria: toda florida.

— Você vai ter que usar bastante protetor solar, Hans — alertou minha mãe, que exibia o rosto ligeiramente mais corado do que o usual. — O calor aqui é intenso, o tempo todo. Trinta e oito graus é totalmente comum. Se eu soubesse, teria deixado todas as minhas roupas mais pesadas na Alemanha. Imaginei que fizesse um pouco de frio, mas, até hoje, meus casacos de inverno estão da maneira que eu trouxe: trancados na mala.

– E chove também – completou meu pai. – Começa de manhã, aí para; abre o tempo, depois chove de novo, aí mais um pouco. Depois vem um calorão, aí chove... É curioso porque o inverno por aqui é quando chove muito, e o verão, dizem eles, é quando chove menos. Parece que eles só têm duas estações no ano.

Como o André não estava rindo, me pareceu que meus pais já falavam português corretamente. Eu temia abrir a boca. Resolvi observar a paisagem e me perguntei: cadê a floresta que eu tinha visto lá de cima? O carro saiu do aeroporto e entrou em uma grande avenida com várias faixas, tanto para quem ia como para quem voltava. Caía mesmo uma chuva fina e havia poucas pessoas caminhando. Circulavam muitos automóveis diferentes dos que eu estava acostumado a ver. Alguns ônibus e caminhões também cruzavam o caminho. Existiam imensos galpões, provavelmente de algumas fábricas.

Comecei a me distrair lendo as diversas placas que encontrava pela rua. Lia baixinho para que o André não se divertisse às minhas custas. Via desconhecidos produtos anunciados nos outdoors e tentava ler os itinerários dos ônibus para começar a memorizar os nomes dos bairros da cidade: estava a fim de conhecer tudo.

Não via a hora de relatar para os meus amigos na Alemanha as minhas aventuras por aqui. Estava pensando em contar fatos absurdos, como uma piranha ter arrancado um dedo da minha mão. Eles pensavam que no Brasil havia cobras e macacos andando pelas ruas. Eu sabia que isso não era verdade porque minha avó e meus pais já tinham desmentido essa história. Tá certo, tenho que confessar que desejava sim encontrar alguma coisa bem esquisita por aqui, ainda tenho essa esperança.

Aos poucos a avenida foi ficando mais estreita e prédios foram aparecendo. Percebi que meu pai seguia todas as placas que indicavam: CENTRO.

– Nós moramos *na centro*? – perguntei causando risos discretos em André. Acho que não foi divertido como ele esperava porque eu falei bem devagar, procurando as palavras.

– Sim – respondeu minha mãe. – Você vai gostar, é um bairro muito bonito.

Era estranho estar dentro do carro enquanto meu pai guiava com tanta familiaridade pelo lugar. Parecia que eu tinha deixado de participar de determinados eventos importantes da família. Precisava recuperar o tempo perdido e queria conhecer a cidade tão bem quanto ele. É engraçado você chegar em um local pela primeira vez, no qual irá passar, pelo menos, os próximos anos de sua vida e não reconhecer nada, não saber onde está. Essas primeiras imagens são muito importantes e sei que vão me acompanhar para sempre.

Parecia que já havíamos chegado ao centro. Havia muitas ruas e o trânsito estava mais pesado; o carro literalmente parava às vezes. Eu achei bom porque pude observar o movimento e as pessoas vendendo variados tipos de objetos na calçada: relógios, CDs, roupas, brinquedos. Mas o que me deixou bastante curioso foram as frutas. Observei algumas estranhas, de cores e formatos inusitados.

– Pronto, Hans, aqui está ele!

Olhei para o lado e, como mostrou meu pai, lá estava ele: o Teatro Amazonas.

– Que bonito! – foi a única frase que eu pude dizer, porém, minha impressão inicial ia bem além disso. Acho que eu ainda nem conhecia as palavras em português que pudessem descrever toda a beleza e a grandiosidade daquele teatro. O primeiro aspecto que chamou a atenção foi a cor: era todo rosa. Eu nunca tinha visto um teatro rosa. Outra cor que se destacava era o branco das colunas.

– Olha só a cúpula – apontou minha mãe. – Veja só que coisa mais interessante. Ela representa as cores da bandeira do Brasil.

Se alguém me contasse que iria pintar um teatro de rosa e colocar uma cúpula com detalhes em verde, amarelo e azul, eu pediria para a pessoa mudar de ideia porque aquilo certamente não ficaria bom, mas eu estaria terrivelmente errado. O teatro era mesmo lindo e fiquei com curiosidade para conhecer o seu interior.

– Podemos parar um pouco? Eu queria ver *a teatrra* por dentro.

André quase engasgou de tanto rir. Acho que cometi vários erros.

– Você só sabe rir? – perguntei para ele. – Você não falou nada até agora. Fale alguma coisa, assim eu vou rir de você também.

– Desculpa – disse ele. – É engraçado demais.

O garoto então me imitou e eu percebi que, talvez, meu erre fosse muito diferente do jeito que se falava no Brasil. Quando ele me imitou, vi que colocava muita força ao pronunciar as palavras com essa letra.

– Não liga não, Hans – sorriu minha mãe. – O André é gente boa. Você vai se dar bem com ele, tenho certeza.

– Depois a gente traz você no teatro, Hans. Vamos agora para a ONG guardar suas malas e para você descansar um pouco. Quero saber notícias das pessoas na Alemanha. Tenha calma que você vai ver muito esse teatro.

— Se quiser, eu trago você mais tarde — disse André. — *Mostrrrro todaaa a teatrrra.*

Até eu ri, entretanto, duvido que eu falasse daquele jeito. Aposto que ele estava exagerando...

— Pronto, chegamos! — comemorou o meu pai parando diante de uma casa azul. A primeira coisa que chamava a atenção era o tamanho das janelas. Eram imensas, estreitas, curvas lá no topo e muito, muito compridas mesmo.

— Por que essas janelas são assim, tão altas?

— Essa nossa casa é bastante interessante, Hans — disse minha mãe. — Ela pertenceu a um homem que foi extremamente rico, que ganhou rios de dinheiro vendendo borracha.

— Ah, as tais árvores de borracha que vocês me falaram.

— Sim — continuou ela. — A maioria das casas daquela época, que você vai encontrar espalhadas pela cidade, possuíam essas janelas enormes. Acho que era para proteger do calor. Como não existia ar-condicionado, era só deixar todas abertas que a casa ficava bem fresquinha.

A casa possuía dois andares. Vi que nas duas laterais, e também à frente, havia jardins. Uma escada levava à entrada principal. Existia um sótão, e detalhes muito rebuscados rodeavam todo o telhado.

– A gente mora no segundo piso, Hans – comentou meu pai. – No primeiro estão as salas de aula. Ainda bem que a casa é grande, não é mesmo?

Entrei e comecei a ver as salas. Havia uma lousa em cada uma delas, algumas cadeiras e instrumentos musicais variados. Meu pai toca violino e sempre se interessou por instrumentos de corda, por isso também pode ensinar violão e violoncelo. Minha mãe é uma excelente pianista e violoncelista. Eu toco flauta, até que razoavelmente bem. Sempre era elogiado pelos amigos do meu pai, que são muito exigentes e, por isso, eu sentia que poderia dar aula de música para iniciantes.

– Veja só isso – disse meu pai. – São instrumentos da floresta, vieram de diferentes povos indígenas, como os Tukano, Xavante e Nhambiquara.

Vi uma série de peças coloridas, totalmente enfeitadas com penas. A maioria eram instrumentos de sopro ou de percussão. Experimentei cada uma das flautas que havia por ali e todas possuíam um som único. Algumas eram muito grandes, outras do tamanho da palma da minha mão. Toquei uma bastante interessante, formada por cinco canudos de tamanhos desiguais, unidos e amarrados do menor para o maior.

Cada um emitia uma nota própria. Havia também alguns tambores e um último que me chamou a atenção.

– O que é isso?

– Esquisito, né? – comentou André, sem rir. – Os indígenas pintaram de verde, mas não tem essa cor não. É um casco de tartaruga. É para soprar – ele segurou o casco de tartaruga e o prendeu debaixo do braço. Então, pegou dois canudos que estavam amarrados no casco e começou a soprar. O som que saía era suave e vibrante.

– Eles mataram a tartaruga para fazer isso? – perguntei incrédulo.

– Devem ter matado para comer e depois resolveram utilizar o casco – respondeu André, colocando-o de volta em uma pequena prateleira. – Mais tarde vamos visitar o Museu do Índio. É o melhor lugar para ver muita coisa ao mesmo tempo porque lá tem vários instrumentos e coisas que eles fazem com pele, casco e tudo que der para aproveitar dos animais.

– Vem conhecer o seu quarto agora, Hans! – falou minha mãe.

Subi atrás dela pela estreita escada que se alongava junto à parede e saí num imenso corredor, muito arejado e claro. Continuei seguindo minha mãe e ela me levou até um quarto gigante, acho que cabiam uns três do meu na Alemanha. Adorei!

– Gostou, filho? Isso não é nada, acredite. Dá uma olhadinha na vista.

Da minha janela dava para ver um mar de telhados, mas o principal era que eu conseguia avistar um pouquinho do rio Negro ao longe.

– Agora, você resolve se descansa um pouco, desarruma as malas ou se sai para passear. Eu e seu pai temos que trabalhar, certo, André? – disse ela para o garoto que espreitava pela porta.

– Vou ficar aqui um pouquinho, mas acho que vou sair mais tarde, sim – respondi.

– Então, depois o André vem te fazer companhia. Ele será seu aluno, assim já vai se acostumando com o professor.

– Só não pode rir muito de mim, ouviu?

Eu estava feliz com a minha nova vida, embora soubesse que teria que me adaptar a várias coisas. Eu não gostava dessa história de matar animais para construir instrumentos, não era necessário, existem tantos materiais por aí. Pelo jeito, eu teria que pensar um pouco nisso, entender melhor o que acontece, mas que eu não gosto, não gosto mesmo.

2
Que peixe estranho

— Acorda, dorminhoco! – disse minha mãe dando um cutucão no meu braço. – Vim ver se você ainda está vivo.

Nossa, nem me recordava da hora em que eu tinha dormido na noite anterior. Só me lembrava de ter aberto a mala e guardado umas poucas roupas. O resto eu iria arrumar qualquer dia desses... Nem liguei o celular. Fiz muita coisa com ele; foi um companheirão até o momento em que a bateria terminou. Depois não tive tempo de carregar em lugar nenhum e ele acabou ficando desligado.

Por um segundo, me senti na Alemanha. Algumas vezes minha avó vinha dormir em casa, acordava antes de todo mundo, fazia café e até bolo. Quando ela decidia que já era hora de todos levantarem, ia de quarto em quarto batendo na porta. No meu caso, ela entrava e me despertava mais ou menos como fez minha mãe, falando em português. Na hora do café, emendávamos uma conversa meio em alemão, meio em português.

Minha mãe queria saber como estavam as coisas na Alemanha. Fiz um longo relato e aproveitei para entregar alguns presentes que os parentes mandaram.

– E cadê o pai?

– Ele precisou sair, mas vai voltar daqui a pouco porque nós temos um compromisso muito importante.

– O quê? – perguntei já saindo da cama.

– Fomos convidados para almoçar pela família do André. Por isso, vim te acordar, senão vamos perder a hora.

– Quem é o André, afinal de contas?

– Olha, se não fosse pelo pai dele... – começou minha mãe. – A gente ia ter muito mais dificuldade para se adaptar. Ele é um verdadeiro faz-tudo. Consertou o telhado, a fiação elétrica, pintou as paredes, trocou partes do piso. Você não faz ideia do que tem pra fazer ainda nessa casa. Ela ficou fechada por anos; era capaz da floresta acabar tomando conta dela. O pai do André é o que chamam por aqui de caboclo.

– Caboclo?

– É uma pessoa que sempre viveu na floresta, com características locais e que conhece muitas coisas.

– Pela quantidade de serviço que ele fez parece que ele sabe tudo mesmo.

– Sim, mas ele foi aprendendo aos poucos. Acho que foi mais por necessidade, porque o sonho dele é voltar para o interior e ficar por lá. Ele não gosta muito da cidade. Pelo que me informou, veio de um vilarejo que é bem distante daqui. Acho que são dez horas de barco.

— E por que ele não volta, afinal de contas?

— Porque a vida lá é dura, às vezes não tem trabalho, o rio transborda e estraga toda a plantação. Alguns animais comiam tudo o que eles plantavam. Aí ele teve que vir pra cá e foi descobrindo ofícios que pudesse fazer. Ele não tem estudo. Lá onde ele morava parece que só tinha uma escola. André me contou que a professora dele remava de canoa uma hora para ir e outra para voltar só para poder ensinar.

— Então ele sabe ler e escrever.

— Sim, e será seu aluno de flauta — completou minha mãe. — Agora anda logo. Toma um banho e desce pro café. Come bem pouquinho senão você perde o apetite. O pai do André quer oferecer um almoço típico para nós desde o dia em que chegamos. Faz questão. Estávamos só esperando por você.

— E a casa deles, é longe daqui?

— Vem cá! — disse minha mãe caminhando até a janela.

Eu fui e vi que no fundo do quintal havia uma pequena casa com uma criança brincando do lado de fora.

— A família do André mora ali. A casa estava caindo aos pedaços, mas o pai dele também reformou. Vou descer, quero ver se eles precisam de alguma coisa. A gente combinou de chegar à uma da tarde. Por isso, não se atrase.

 Fui ao banheiro e tomei banho. Percebi que eu tinha suado muito, havia feito bastante calor durante a noite e, na verdade, continuava fazendo. Senti falta da chuvinha do dia anterior. Vi um aparelho de ar-condicionado, mas estava sem os botões de comando. Deveria estar quebrado.

 Finalmente acessei a internet. Foi a única coisa que eu fiquei insistindo com a minha mãe. Ela podia esquecer de tudo no meu quarto, até da cama, mas eu necessitava do acesso. Ela falou para eu ficar tranquilo porque, afinal de contas, a gente se comunicava há tempos e eles já se conectavam daqui mesmo. Deixei dezenas de amigos na minha velha terra. Eles queriam saber se eu havia chegado bem, se estava gostando, se algum indígena já tinha me atacado. Vou ter que tirar um monte de fotos de Manaus e mandar, urgentemente. Assim, vão perceber que é uma cidade grande. Passei o resto da manhã respondendo mensagens e arrumando minhas coisas. Se eu não deixasse o local minimamente apresentável, sei que minha mãe iria brigar comigo. Eu tinha permissão para fazer o que quisesse, mas precisava cumprir horários e manter o quarto em ordem.

O tempo passou rápido, até porque eu podia escutar minha mãe rindo na casa do André. Não demorou muito e ouvi a voz do meu pai, que parecia estar se divertindo do lado de fora da casa. Resolvi ir me encontrar com eles para saber porque riam tanto. Vesti uma bermuda, eu só tinha duas, e uma camiseta do meu time de futebol.

Corri escada abaixo e fui direto para a festa. Meu pai ainda estava do lado de fora da casa, gargalhando, com uma lata de cerveja na mão. Cada vez mais eu desconhecia aquele homem. Ele era um pouco sisudo, vivia ensaiando, cabisbaixo, envolvido com suas partituras. São poucas as vezes em que me lembro dele ter saído para passear, tomar um sol no parque.

– Hans! Vem cá – gritou ele. – Alberto, este aqui é o meu filho.

– Muito prazer, Hans. Já ouvi falar bastante de você – disse o homem apertando minha mão. Era um senhor forte, de pele escura e com o cabelo bem liso. – André! O Hans chegou. Oferece pra ele um suco de cupuaçu.

– Cupu... – tentei repetir sem sucesso.

– Cupuaçu. Vem cá que eu te mostro – disse André, me levando para o interior da casa.

Tão logo entrei, vi minha mãe sentada em uma cadeira conversando com uma senhora que, provavelmente, era a mãe do André.

— Vem cá, filho. Vem conhecer a dona Iara.

Cumprimentei a senhora e fui logo ficando encabulado. Ela começou a dizer que eu era bonito, simpático e que as moças dali iriam gostar muito de mim.

— Ela não me deixa fazer nada — reclamou minha mãe.

— Vocês são convidados. Só vão comer — disse ela.

— E beber! — completou André, me trazendo um copo grande com um suco de aspecto leitoso. — Pode beber, é o meu favorito. Cupuaçu.

Tentei repetir a palavra e André logo riu. Desta vez, dona Iara brigou com ele. Provei o suco e fiquei sem saber explicar o gosto. Não lembrava nada do que eu já tivesse provado em minha vida.

— Aqui está o açúcar. Você põe o quanto quiser — falou dona Iara.

Resolvi não colocar açúcar para não disfarçar a fruta. Achei azeda, não muito, mas o sabor ficava na boca, resistente. Foi então que percebi que todo mundo tinha parado de fazer o que estava fazendo para olhar a minha cara.

— Agora prova este — falou André, me entregando outro copo.

Provei e aí a coisa se complicou. O gosto era diferente, mas eu continuava sem poder explicar. A aparência era a mesma do suco anterior, branco, porém um pouco mais fino.

– Do que *ser esta*?

Depois que André parou de rir, ele me avisou que era de graviola. Ainda bem que ele ria cada vez menos. Acho que já estava se acostumando com o meu sotaque. No início, pensei que ele fosse ter um ataque. Agora era um sorriso discreto, de canto de lábio. Talvez meramente porque dona Iara estivesse por ali, não sei.

Coloquei o suco de lado e comecei a olhar para as frutas espalhadas pela mesa. Algumas eu já conhecia: abacaxi, manga, banana. Eu nunca havia visto uma banana tão gigante.

– As bananas vêm lá de Roraima – disse dona Iara. – Lá tem muitas. O abacaxi está uma delícia, pode provar.

E provei mesmo. As fatias eram pequenas e o abacaxi era de um amarelo-escuro, uma delícia, ainda mais naquele calor. Doce como eu nunca havia provado em toda a minha vida. Foi uma grande surpresa porque sempre achei que abacaxi fosse uma espécie de loteria: sempre azedo, nunca doce. Aquele estava ótimo. Mas o meu olho se voltou para as outras, as frutas amazônicas: vi uma vermelha, bem cabeluda. O tamanho dela era mais ou menos o de um limão. Peguei uma imaginando como se comeria.

— Isso aí é o rambutã. Vou lhe mostrar como come — propôs André. Ele pressionou a casca da fruta, que se rompeu. Em seguida, continuou puxando a casca como se fosse uma banana e apareceu uma polpa branca que ele chupou. — Cuidado com o caroço! — alertou, mostrando um caroço bem grandinho.

Fiz a mesma coisa que ele, a casca era um pouco difícil de romper. Assim que a polpa surgiu, coloquei na boca. Não saía tão fácil, tinha que raspá-la com os dentes. Era um gosto suave, adocicado.

— Só que essa fruta não é daqui — afirmou dona Iara. — Veio lá do Oriente e deu certo plantar nessa região. Agora tem bastante. A nossa terra é muito boa, dá de tudo!

Pensei que as pessoas fossem achar que eu era um esfomeado, mas estava mesmo curioso. Vi uma outra fruta. Quando olhei para ela fiquei pensando em como eu iria descrevê-la para os meus amigos: melhor mandar logo uma foto.

— Que fruta é essa? — perguntei.

— É o biribá e é dessa região! — respondeu dona Iara. — Lá no Sul tem uma parecida que eles chamam de pinha, mas acho a nossa mais gostosa — riu-se ela no final.

Peguei a fruta. Ela possuía realmente a forma de uma pinha, dessas que caem dos pinheiros e ficam no chão, só que toda fechada. A fruta estava macia, então deveria estar bem madura. Puxei a casca e ela saiu facilmente, revelando a polpa. Era de um branco-amarelado e deu para ver que existiam muitas sementes. Mordi com força e, de repente, o sumo escorreu por entre os meus dedos. Novamente André começou a rir. Percebi que a fruta tinha a textura de um mingau. Dessa vez, chupei com calma e fiquei rodando a massinha na língua até soltar todos os caroços, o que era delicioso. Gostei bastante e acabei com ela inteirinha.

– Chega, Hans! Se continuar assim você não vai comer nada na hora do almoço. Já, já vai estar pronto.

Minha mãe estava certa. Era bom parar: já tinha ido suco, abacaxi, rambutã e biribá. Precisava guardar espaço para as outras iguarias que viriam. O cheiro estava apetitoso.

Saí da casa e fiquei perto do meu pai ouvindo as histórias do seu Alberto. Ele falava de um modo muito rápido, engolindo palavras, e eu não conseguia entender tudo. Algumas coisas pareciam ser engraçadas porque o meu pai se divertia.

– O almoço tá na mesa! – anunciou dona Iara trazendo uma enorme panela. – Venham todos para a caldeirada de tambaqui.

Perguntei para o meu pai, discretamente, se ele sabia o que era aquilo. Ele me informou que era um peixe da região, saboroso, que crescia bastante, podendo chegar até um metro e pesar trinta quilos. Uma grande mesa fora colocada no quintal e nos sentamos ao redor dela. A caldeirada cheirava muito bem; era um cozido de peixe com batatas, basicamente. Ao lado dela arroz e feijão fresquinhos, salada de tomate e uma farofa rústica, grossa. Coloquei um pouquinho de cada alimento no meu prato. Tomei mais suco de graviola e cupuaçu.

– E agora, a maior surpresa! – disse seu Alberto. – Mandaram essa carne direto do interior pra mim. É a melhor que eu conheço. Vocês vão adorar.

Pra dizer a verdade, não gosto muito de carne. O peixe eu já havia comido mais para agradar a dona Iara e não causar nenhum constrangimento para os meus pais, mas eu estava decidido a parar de consumir carne. Eu tinha lido na internet diversas matérias sobre tráfico de animais, uso de cobaias em laboratório e, o pior de tudo, a maneira como alguns animais eram abatidos para consumo e comecei a ficar enjoado só de pensar em ter que comer carne de novo. Não me transformei num vegetariano completo, mas pretendia reduzir o que eu pudesse. Adotei uma frase: "Eu não como cadáver". Achei profunda e serviria para que eu sempre me lembrasse da minha decisão.

— Esse bichinho foi atropelado e mandaram pra cá — completou ainda o seu Alberto.

Não entendi, mas o André rapidamente me falou que era uma brincadeira. Levei um susto, eu que não ia comer um bicho atropelado de jeito nenhum. O seu Alberto colocou um pedaço no meu prato. Todos começaram a provar e eu não tive escapatória. Cortei e comi. A primeira impressão que tive era a de que se tratava de carne de porco. No início, não achei nada de especial porque era comum comer porco na Alemanha. Eu já havia comido, muito tempos atrás, porém esta era diferente, tinha gosto de peixe ao mesmo tempo.

— Uma delícia, Alberto — disse meu pai se servindo de mais um pedaço.

— Realmente, ótima — concordou minha mãe. — Que carne é essa?

— Ihhhhh, essa pergunta é meio complicada de responder — intimidou-se dona Iara.

— Por quê? — interessou-se meu pai.

— Essa carne é bastante difícil de conseguir. É carne de peixe-boi.

Eu entendi as duas palavras: peixe e boi. Olhei para os meus pais, mas eles pareciam não ter compreendido igualmente a explicação. Imaginei que fosse algum peixe bem grande que recebesse esse nome. De qualquer forma, terminei de almoçar. Em seguida veio a sobremesa: sorvete de açaí. Era um sorvete com uma cor roxa intensa. Coloquei um pouco num potinho e não pude deixar de repetir. Uma delícia, o gosto era também bem diferente de tudo o que eu já havia provado. Não era doce, nem azedo, só sei que era delicioso. Ainda comi uma frutinha muito pequena, que parecia uma uva amarelada, o taperebá. Ao dar uma mordidinha na casca, essa se rompia e um sumo entre o azedo e o doce invadia a boca refrescando e enchendo de sabor.

Quando a refeição acabou, estávamos todos estufados. André queria aprender a mexer no computador. Eu me ofereci para ajudar e fomos para o interior da ONG. Acho que, na verdade, ele já sabia alguma coisa porque conhecia um monte de sites de jogos. Mas, antes, eu tinha uma curiosidade para resolver.

— Como era mesmo o nome daquele bicho que seu pai serviu para a gente no almoço?

— O peixe-boi?

— Isso! — exclamei e rapidamente acessei um site de busca. Perguntei para o André como é que se escrevia, digitei e solicitei a procura. Apareceram dezenas de links. Eu tinha pedido a pesquisa em sites do mundo todo, e os primeiros links que surgiram me deixaram preocupado. Tudo o que se referia ao peixe-boi estava conectado ao assunto de animais em extinção. Cliquei em um deles e a primeira coisa que apareceu foi uma foto do bicho. Era um mamífero aquático.

— Não acredito! Eu acabei de almoçar um animal que está em extinção.

— Qual é o problema? — perguntou André. — De vez em quando as pessoas comem um peixe-boi, tem um monte no rio.

Resolvi não falar nada. Fiquei com medo de ofender a família do André que havia preparado o almoço com tanto cuidado. Entretanto, eu não acreditava que eu tinha feito aquilo, senti culpa. Ia contra tudo o que eu defendia.

— Tem até um lugar aqui em Manaus que tem vários — completou André enquanto eu tentava me livrar daquele sentimento desconfortável.

— E que lugar é esse?

— É o Bosque da Ciência. É um parque. Lá tem alguns peixes-bois. Se você quiser, eu te levo pra ver.

— E o que eles fazem com os bichos?

— Não sei, acho que cuidam. Vamos amanhã porque agora ficou tarde. Assim você já começa a conhecer Manaus. E por que você está com essa cara? Não gostou do peixe?

Foi então que eu me lembrei do tambaqui. Será que ele também estava em extinção? Era só o que me faltava. Resolvi não olhar, eu iria me sentir pior ainda. Precisava conversar com os meus pais sobre aquilo. Será que eles sabiam o que tinham comido? Decidi terminar o dia brincando com André no computador, mas já sabia que eu teria que fazer alguma coisa para resolver essa história e não ficar me sentindo tão mal.

3
O silêncio dos inocentes

—O que é aquilo que está acontecendo naquela praça? – perguntei para o André.

Nós estávamos indo para o Bosque da Ciência. Eu precisava mudar a imagem que eu conhecia dos peixes-bois: um pedaço de carne no meu prato. Queria ver como era o animal e entender melhor por que ele estava em extinção.

– Aquilo? É a maior perda de tempo – comentou ele com indiferença. – Já que você está tão interessado, vamos lá, mas não diga que eu não avisei.

Atravessamos a avenida e fomos em direção à praça. Havia num canteiro, que separava as direções da avenida, um imenso relógio, todo rebuscado. Abaixo dele, como não podia deixar de ser, existia uma relojoaria bem pequena. Ao nos aproximarmos da praça, achei estranho que houvesse tantas pessoas juntas em um lugar só, formando um círculo. Ao mesmo tempo, um homem ficava gritando num megafone.

– Aproximem-se, aproximem-se – gritava ele. – Venham ver as cobras mais venenosas do Amazonas. Venham, venham todos!

Muita gente já estava aglomerada, mas ele certamente detinha a esperança de aumentar ainda mais o seu público.

— Ninguém vai pagar nada, podem vir.

Quando ele falou de cobras venenosas, eu fiquei curioso. Ele dizia o nome de cada uma delas: cobra-coral, cobra-papagaio, jararaca, surucucu.

— Será que tem alguma jiboia lá dentro?

— Hans — respondeu André —, jiboia não é uma cobra venenosa, então, eu acho que ele não tem não.

É verdade, me lembrei que ela mata as presas de outra forma. Vi num documentário a explicação de que uma jiboia cresce até cinco metros, se enrola na presa e a esmaga com a força de seu corpo, depois ela engole a vítima pela cabeça e fica parada durante dias fazendo a digestão. Tem gente que cria em casa como animal de estimação. Maior do que ela, por ali, só mesmo a sucuri, que pode chegar a 12 metros de comprimento e come de tudo: capivara, veado e jacaré, inclusive.

— As cobras mais venenosas já vão aparecer...

O homem havia armado um pequeno cenário para aquela que seria a sua apresentação. As pessoas, embora fossem muitas, ficavam distantes, provavelmente com medo de serem atacadas pelas tais das cobras. Ele tinha estendido um tapete e, sobre ele, colocado diversas sacolas e caixas.

O homem tirou um garoto da plateia, que não ofereceu resistência, e lhe entregou um pedaço de pau. O jovem ficou junto de uma sacola e o homem pediu que ele ficasse tranquilo, pois nada iria lhe suceder. Em seguida, o homem abaixou a cabeça, começou a fumar e a falar uma língua estranha.

– Hans, só estamos perdendo tempo. Ele vai ficar um tempão enrolando aí e não vai acontecer nada de interessante.

– Ele não vai mostrar as cobras venenosas?

– Só depois que juntar muita, mas muita gente mesmo, ele mostra uma cobra e começa a pedir dinheiro. Não compensa ficar aqui.

– É, acho que você tem razão. Foi somente curiosidade...

– Depois eu te levo para ver cobras no zoológico. Lá você vai ver a jiboia, sem enrolação.

– Zoológico, no Amazonas? Que esquisito! Não é melhor ir na floresta para ver os animais no habitat natural?

– Pensa que é só entrar na floresta e os bichos vão vir te fazer uma festa?! Eles se escondem. Só quem tem um olho bem-treinado consegue ver alguma coisa. No zoológico é mais fácil e garantido. Você vai ver as jiboias e, com sorte, dá até pra ver uma ou duas enroladas em cima de uma árvore.

Também tem onças: a pintada, a preta e a parda. Tem arara, papagaio, jaguatirica...

Fomos para o ponto de ônibus e eu aproveitei para olhar o movimento ao meu redor. Havia bastante gente correndo apressada, camelôs, animais soltos, mendigos, trânsito caótico, aspectos comuns que podem ser encontrados em qualquer cidade grande. Se eu não tivesse visto do avião, não iria acreditar que estava no meio de uma floresta, não uma qualquer, mas a maior floresta tropical do mundo. Não conseguia ver pela cidade sinais que indicassem essa realidade. Até mesmo as árvores, em determinados locais, eram poucas. Que eu vivia em uma zona tropical, não dava para ter dúvida, o calor era de rachar. Tão logo eu comecei a senti-lo, me lembrei de um conselho que minha mãe havia me dado: "Não saia de casa sem protetor solar. Você é muito branco e vai sofrer com o sol e com o calor".

E não é que eu esqueci e que ela tinha razão! Resolvi comprar um boné num camelô, pelo menos para proteger a minha testa. Era um modelo engraçado, exibindo uma onça de boca aberta de onde saía a palavra MANAUS.

— Rápido, Hans, o ônibus está vindo!

Saí correndo e consegui pegar o ônibus. Quando André me viu com meu novo acessório, pra variar, começou a rir.

— O que foi agora? — perguntei.

— É que, com esse boné, você ficou com mais cara de turista...

Ele não me deu maiores explicações sobre isso e nem eu me interessei. Qual seria o problema de parecer turista demais? Eu nunca iria passar por nativo. As pessoas por aqui são de todos os tipos, porém, eu tinha visto poucas loiras, altas de olhos azuis como eu, a não ser... turistas. Bem... Acho que, em alguns casos, eu acabaria pagando um preço maior por qualquer coisa que eu pretendesse adquirir, como artesanato regional, por exemplo. Isso acontece no mundo todo. Se você não é da região, eles aproveitam para cobrar mais caro pelos produtos, não tem jeito.

O ônibus foi seguindo seu caminho e acessamos uma longa avenida por onde a paisagem começava a se modificar, mas ainda era essencialmente urbana.

— Nossa, André. O que é aquilo?

André olhou de lado e disse:

— São as palafitas. É um lugar triste, as pessoas vivem muito mal ali.

O aspecto era realmente feio e, ao mesmo tempo, curioso. Sobrados de até três andares se equilibravam sobre estacas de madeira a uma altura impressionante. André me falou que elas ficavam no alto para se proteger das enchentes do rio. Sob elas, muito lixo, várias garrafas de refrigerante e água em tom azulado, poluída, se acumulavam.

— Você não queria ver aves do Amazonas? — riu André. — Dá uma olhadinha ali pra cima.

Eu olhei e vi alguns urubus em cima das palafitas.

— Meu pai me explicou que, um dia, esses locais podem acabar. Se as pessoas conseguirem viver melhor no interior, não vão mais vir pra cá. Ninguém quer morar assim.

Já fazia meia hora que estávamos dentro do ônibus. Haviam colocado os peixes-bois bem longe afinal de contas. Aos poucos a paisagem ia ganhando ares de floresta. Mais e mais árvores surgiam por entre as casas. Na avenida, existiam até algumas carregadas de frutas.

— São mangas — esclareceu André. — Pronto, vamos descer no próximo ponto. Vem comigo.

Levantamos, André tocou o sinal e o ônibus parou. Descemos e continuamos caminhando. De repente, André apontou o dedo para uma escultura.

— Pronto! Aí está o seu peixe-boi.

"Mas o que é isso?", pensei. Era uma obra que representava um peixe-boi nadando com um filhote.

— Você me trouxe até aqui para me mostrar *um* estátua?

Ele começou a rir. Não entendi, pra variar, se era do meu modo de falar ou de alguma outra brincadeira que ele estava me pregando.

– Claro que não. É que daqui só dá pra ver essa daí, mas têm outras. Corre! – dizendo isso ele saiu correndo e parou na esquina da rua em que estava a estátua.

Quando eu me aproximei vi que ao longo de todo o muro havia estátuas representando a vida no Amazonas. André me explicou que eram, fora a do peixe-boi, uma ariranha e uma ave de rapina sobre o tronco de uma árvore. Depois tinha um homem num barco atirando uma lança num peixe.

– Esse aí é o pirarucu. Não tem outro jeito de pescar ele. Só mesmo na base da lança, não tem rede que segure o bicho, ele é muito grande.

– Qual é o tamanho dele? – perguntei.

– É maior do que eu e até do que você. Pode chegar a três metros.

Fiquei impressionado. Acho que tudo no Amazonas é grande: o rio, a floresta, os peixes.

Chegamos à entrada, pagamos o tíquete e entramos. Pronto, me senti na floresta. Era um parque imenso, com árvores bastante altas. Não dava pra se perder porque havia diversas placas, cada uma delas indicando um lugar interessante: LAGO AMAZÔNI-

CO, VIVEIRO DOS JACARÉS, CASA DA MADEIRA, VIVEIRO DE ARIRANHAS, TRILHA SUSPENSA... O Bosque da Ciência ficava dentro do Instituto Nacional de Pesquisas da Amazônia, o Inpa, que era um órgão do governo brasileiro que se dedicava a vários estudos: plantas medicinais, exploração sustentável de madeira, tratamento do couro vegetal, além de muitas outras pesquisas sobre as vidas animal e vegetal.

Seguimos direto na direção dos peixes-bois e, para minha surpresa, não precisamos caminhar muito. Os tanques ficavam perto da entrada e, depois de uma breve caminhada, já dava para ver o azul da água e o movimento deles. Apressei o passo, deixando André para trás.

– Que coisa mais linda! – foi a primeira frase que consegui dizer.

Havia dois tanques bem grandes. Ambos foram construídos como se fossem dois prédios, um ao lado do outro, separados por um estreito pátio. Uma grade impedia uma maior aproximação ou contato com os animais.

– Vem por aqui! – gritou André.

Fui atrás dele descendo uma escadaria que levava até o pátio. Ali havia janelas de vidro longas e retangulares que permitiam uma visão perfeita do verdadeiro balé que eles faziam sob as águas. Era um animal extremamente simpático como, aliás, todos os mamíferos aquáticos que eu já tinha visto: focas, golfinhos, leões-marinhos... A cabeça lembrava vagamente a de um hipopótamo e o corpo se alongava e avolumava até terminar em uma longa cauda, em forma de pá, que parecia ser suficientemente forte e poderosa para que ele nadasse.

– Com aquela cauda, acho que ele consegue fugir rapidinho de qualquer ataque – comentei.

– Mais ou menos – interferiu um homem que estava ao meu lado. – Ele é muito indefeso. Vive sempre às margens dos rios só comendo capim. Você é turista?

André riu.

– Não – respondi. – Meu nome é Hans e eu vou começar a morar na cidade. Cheguei ontem.

– Ah, seja bem-vindo. Espero que goste daqui. O meu é Miguel e se você quiser saber alguma coisa, é só me perguntar.

– Obrigado – agradeci observando que André me chamava para ver o outro aquário. Fui até o vidro que ficava a alguns passos do que eu já estava e fiquei surpreso. Não havia água, se encontrava totalmente seco, e os peixes-bois, uns dez ou 12, permaneciam quietinhos no fundo do poço.

– Nossa! Mas o que é que está acontecendo?

– Estamos trocando a água – informou Miguel.

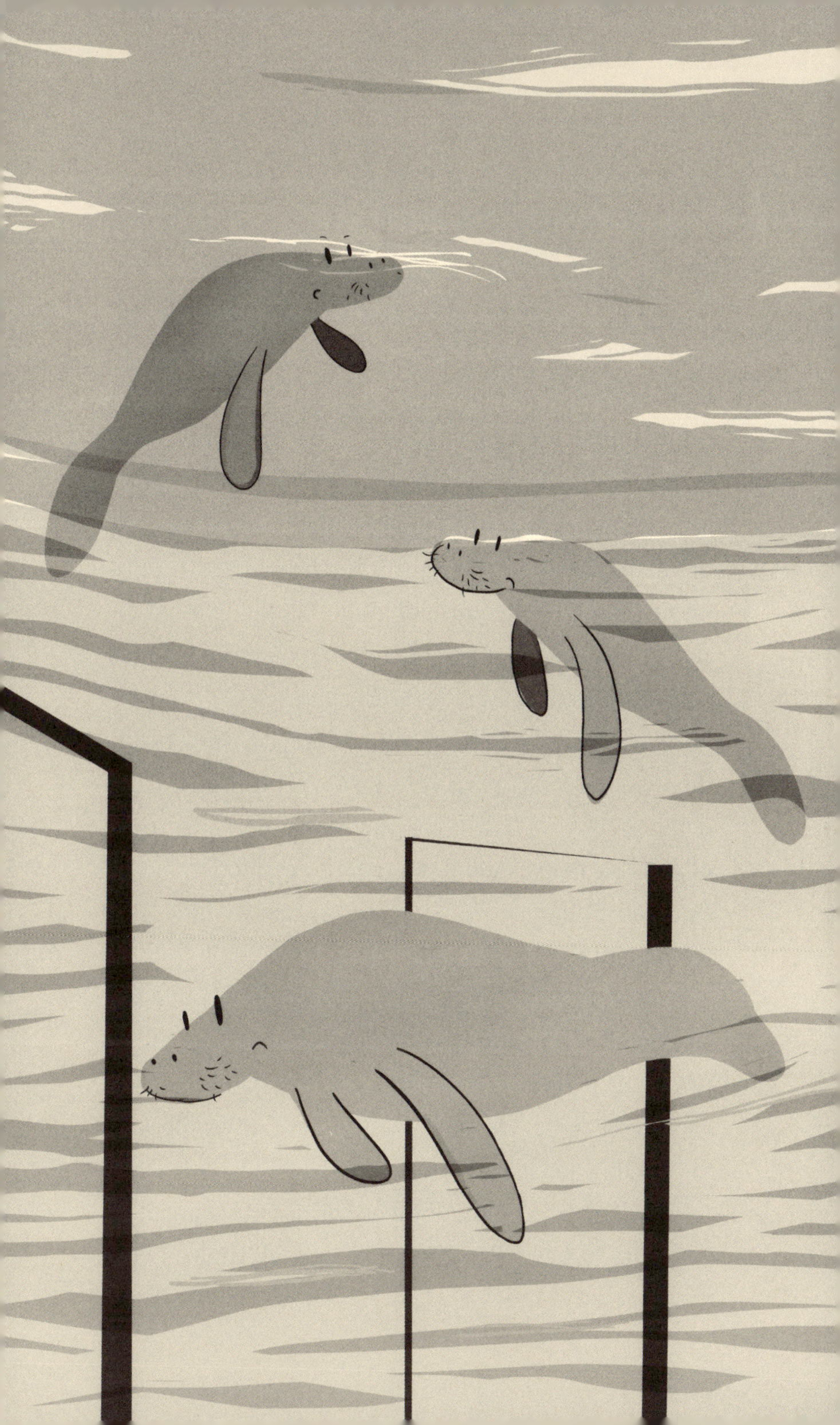

– Ué. E eles podem ficar assim, sem água?

– Por um tempo, sim. Olha lá em cima! Já vamos encher o tanque.

Então, a água começou a cair de um cano em grande quantidade dentro do tanque. Lá embaixo também havia um punhado de capim. Deveria ser o lanchinho ou almoço, porém, de nada adiantava porque eles não conseguiam se mover para comer.

– A gente procura manter a pele desses animais molhada para que não ocorra ressecamento – continuou Miguel. – É que, por causa da higiene, precisamos trocar toda a água de vez em quando. A única coisa que eles têm que fazer é esperar.

Agradeci a explicação de Miguel e subi novamente as escadas para ver os peixes por cima. Com o tanque vazio, era o melhor lugar para dar uma olhadinha neles. Achei o nome deles incompatível, eles não tinham nada de peixe, apenas viviam dentro da água.

Quando terminei de subir as escadas e pude vê-los do alto, fiquei morrendo de pena. Estavam muito próximos uns dos outros, imóveis, e os tamanhos variavam bastante. Os mais bonitinhos eram os filhotes.

– Olha só ele respirando, Hans!

Era engraçado. Ele abria as narinas rapidamente e depois as fechava. Parecia que ele possuía uma espécie de tampão no nariz. Acho que daquela maneira não entrava água ali de jeito nenhum. Eu estava irremediavelmente apaixonado pelos peixes-bois.

— E além de tudo, Hans, é uma delícia, não é verdade?

Quando André falou aquilo, fiquei constrangido. Temia que alguém tivesse ouvido.

— Se eu soubesse que era um bicho em extinção, não teria comido nunca — respondi para o André, baixinho.

— Ué, você não perguntou.

— Não sabia que tinha que perguntar.

— Muita gente come desses bichos por aí. Hoje em dia não é tão fácil, mas, quando alguém pega algum no interior, come e pronto. Foi assim que meu pai conseguiu. Um tio meu pegou e mandou um pedaço pra cá.

— Mas isso não está certo. Se eles estão em extinção, a gente não pode caçar, nem comer. Tem que proteger.

— Bobagem — respondeu André. — Tem um monte ainda pelos rios. Vem, vamos dar uma caminhada, depois voltamos para ver se o tanque já encheu.

Concordei que ficar ali esperando era besteira. Ia demorar muito, não dava para perder a chance de caminhar naquelas trilhas cercadas de árvores.

— Pra onde vamos primeiro? — perguntei parado numa encruzilhada. Uma série de plaquinhas em forma de setas indicava o que havia para cada um dos lados. Acabamos escolhendo um caminho, o central. Acho que ia ser divertido ter a sensação de que estávamos nos perdendo no meio da floresta.

Diversos elementos chamavam a minha atenção naquela trilha. O primeiro foi a altura das árvores. As copas de várias delas se encontravam em locais muito altos e deixavam a trilha levemente escura. Também dava pra perceber que as folhas de algumas árvores eram bem pequenas na base e iam ficando cada vez maiores quanto mais altas brotavam. Acho que as que ficavam mais próximas dos raios de sol tinham melhores chances de se desenvolver.

— Hans! Rápido! Olha aquilo ali.

— O quê?

— Ali, olha.

— Não estou vendo nad... — nem terminei de dizer a frase e cruzou no meio do caminho um filhote de cutia. Fiquei imóvel com medo de que ele saísse correndo. Pretendia tirar uma foto de qualquer jeito, afinal, era o primeiro animal *selvagem* que eu via em liberdade. Peguei o celular o mais rápido que pude porque o bichinho não parou de caminhar. Atravessou a trilha e correu para o mato. Fomos devagar até o local por onde ele tinha entrado e ficamos procurando por ele. Não foi difícil de avistá-lo. Afastei alguns galhos e tirei a foto. Fiquei feliz da vida.

– Ele já está acostumado com os turistas – disse André. – Acho que dá até para pegar.

– Não! – respondi. – Deixa ele quietinho porque eu já tirei a foto.

Voltamos para a trilha. Fora dela, no bosque das árvores, o chão era forrado por folhas; não era possível ver o solo. Eram folhas e mais folhas, de variadas cores e em diferentes estados de decomposição. Algumas estavam secas, quebradas. Fiquei curioso para saber como seria pisar nelas.

– Será que pode pisar ali? A trilha não vai lá.

– O que você quer fazer? – perguntou André.

– Só queria pisar nas folhas. Ver se o chão é muito fofo.

– Vai, acho que não tem problema.

Entrei no bosque. O chão era realmente fofo, extremamente diferente do rígido e seco da trilha.

– Você precisava ver mesmo na floresta. Tem lugares que a perna afunda nas folhas. É o esconderijo favorito das cobras venenosas.

Saí rapidamente dali, menos porque o André estivesse rindo, mais por medo de estar fazendo alguma coisa proibida. Não estava a fim de ser expulso do parque. Já me bastava ter comido carne de um animal em extinção.

Continuamos caminhando e a trilha finalizou em um cercado com uma placa que pude ler ao longe: JACARÉ. Finalmente, MEU PRIMEIRO JACARÉ!!!!! Fiquei mais feliz ainda porque, quando me aproximei, vi que se tratava do jacaré-açu, que poderia alcançar até seis metros de comprimento. Desde que eu li sobre esse jacaré pela primeira vez, não conseguia imaginar como seria um animal daquele tamanho. Já pensou encontrar com ele enquanto você está nadando no rio? Entretanto, para minha decepção, o local estava vazio.

– Vai ver que ele saiu para almoçar e volta já – riu-se André. – Deve estar escondido na água.

Fiquei conformado com outro, de espécie diferente, que estava ao lado: o jacaretinga, que chegava até dois metros e meio, no máximo. Não era muito grande, mas pelo menos permanecia ali, se exibindo ao sol. Depois caminhamos um pouco mais e acabei vendo tartarugas. Subimos por uma outra trilha e, novamente, André gritou chamando minha atenção.

– Olha lá, entre as árvores. Está vendo?
– O quê? – perguntei.
– Um macaco.

Olhei para onde ele apontava, mas não pude ver nada. Ele insistiu e, mesmo assim, não adiantou. Até percebi que os galhos balançavam, porém, não achei coisa alguma. André, que já tinha vivido na floresta, possuía um olhar melhor treinado e realmente conseguia identificar diferentes espécies no meio do mato, como ele já havia me dito. Eu, pelo jeito, teria que aprender muito.

Estávamos com sede e resolvemos parar para tomar um coco. Era uma pequena barraca no centro do parque onde uma senhora vendia sorvetes e sucos. Começamos a tomar nosso coco enquanto eu observava tudo ao redor.

– Conhece as madeiras da Amazônia? – perguntou a senhora.

– Não – respondi. – Vi algumas árvores pelo bosque e só, mas acho que eu já me confundi. Não sei mais qual é qual.

– Isso sempre acontece com os turistas que vêm por aqui.

André não riu, apenas me olhou pelo canto do olho.

– Eu tenho uma coisa que você vai gostar! – completou ela.

Então me estendeu uma caixinha com várias amostras de madeiras da floresta. Junto de cada uma havia um folhetinho com algumas informações: ipê-roxo, andiroba, copaíba, mogno, jatobá, pau-rosa, ingá-cipó... Achei muito legal porque dava para ver como era a constituição delas: claras, escuras, leves, pesadas, cheirosas ou não. De todas, as que apresentavam maior risco de extinção eram o pau-rosa e o mogno. O pau-rosa foi exaustivamente usado para a retirada de uma essência bastante utilizada na indústria cosmética, e o mogno era uma madeira extremamente nobre, de altíssima resistência aos cupins. Lugares inteiros da Amazônia eram devastados em busca dessas madeiras. Uma outra curiosa era o tronco do buriti, utilizado para fazer canoas. De repente, pensei nos peixes-bois.

– Será que o tanque já encheu?

André jogou o coco dele no lixo e disse:

– Vamos lá ver.

Demos tchau para a senhora com suas madeiras e fomos correndo em direção ao tanque. Ainda não estava cheio e, pelo jeito, aquilo iria demorar uma eternidade. Pelo menos, já havia água suficiente para que eles se movimentassem.

– E então? Gostaram do passeio? – perguntou Miguel ao me ver parado olhando os peixes-bois.

– Sim. Adorei ver a floresta pela primeira vez.

– Na verdade, aqui é somente uma amostra dela. Estão desmatando tanto que para ver a floresta de verdade, totalmente intocada, acho que você precisaria viajar para fora de Manaus.

— E como é que esses peixes vieram para cá?

— A maioria chega em péssimo estado — lamentou Miguel. — Feridos e assustados. Alguns pescadores os encaminham para cá quando os pegam nas redes. Outras vezes, os fiscais os recolhem de exibições indevidas, até em praças públicas, onde os bichos sofrem terrivelmente. Tem gente que ainda mata para comer.

Engoli em seco. Olhei para a cara do André, que disfarçou um sorriso.

— Mas aqui eles estão protegidos, embora muitos deles nunca mais poderão voltar a viver na natureza.

— Tem alguma coisa que a gente possa fazer para ajudar? — perguntei.

Miguel olhou para mim curioso. Acho que não era sempre que alguém como eu, com cara de turista, se oferecia para colaborar assim, de graça. Conversamos mais um pouco e acabei descobrindo que, sim, eu poderia ajudar, o que me deixou bem contente. Voltei para casa cheio de ideias e atividades para executar.

4
Todo mundo faz

André havia se tornado meu melhor amigo. Como meus pais disseram, ele era um excelente termômetro para indicar como ia o meu aprendizado de português. Já fazia um mês que eu estava ali, e agora ele ria bem menos. De maneira geral, as pessoas eram muito educadas e achavam que eu ficaria bravo se elas me corrigissem. Pelo contrário, caso o fizessem, estariam me ajudando, porém, não conseguia fazer com que entendessem isso. Só mesmo o André.

Além de ser meu amigão, também foi meu primeiro aluno. Reclamou sem parar quando eu disse que já deveríamos iniciar as aulas de flauta justamente porque ele estava de férias da escola. Consegui convencê-lo de que aquele era o melhor período para iniciar, assim o novo aprendizado já iria se incorporando ao seu cotidiano. André gostava de estudar flauta, mas eu percebi que ele realmente tinha diversas atividades e era por isso que nem sempre podia praticar.

Ele frequentemente ajudava o pai com tarefas profissionais. Várias vezes eu o vi saindo para comprar canos, fios ou comida. Quando voltava, normalmente precisava auxiliar o pai na manutenção da ONG. Meus pais não aprovavam aquilo, queriam que André apenas estudasse, mas resolveram não se intrometer no assunto.

Eu conhecia ainda pouco da cidade. Acabei ficando amigo do Miguel, o jovem biólogo do Inpa. Voltei lá sozinho em algumas oportunidades e sempre aprendia muito com ele. Ouvi bastante sobre o tráfico de animais e de plantas da Amazônia, uma coisa terrível.

— Você acredita que os japoneses até tentaram patentear o cupuaçu e o açaí? — me disse ele outro dia.

— Como assim? — perguntei.

— Eles registraram o nome "cupuaçu" e, a partir daí, poderiam receber... Deixa eu achar um jeito fácil para você entender... — falou Miguel, imaginando que dependendo do termo científico que ele usasse eu não seria capaz de compreender. — Seria algo assim: como se eles se tornassem os donos do cupuaçu e qualquer um que quisesse usar aquele nome teria que pagar uma taxa. Mais ou menos como se alguém patenteasse a banana. Ninguém poderia fazer nada com a fruta sem ter que pagar para o dono do nome. Isso sim é biopirataria.

Sempre que eu conversava com o Miguel voltava pra casa com mais dúvidas do que respostas. Caía na internet e tentava descobrir mais a respeito do assunto que ele havia me contado. Acabei descobrindo que as fronteiras do Brasil são mesmo imensas e que não há meios de controlar tudo o que acontece em relação ao tráfico de animais ou de plantas silvestres. Encontrei uma lista das espécies mais ameaçadas. Infelizmente, lá estava o peixe-boi. Eu achava ainda que as pessoas eram muito mal-informadas. O tráfico não parecia valer a pena porque a maioria dos animais capturados morria antes de chegar ao destino, ou seja, todo o investimento era jogado fora. Mas, olhando para a lista calmamente, dava para perceber por que os traficantes se empenhavam tanto na captura dos animais raros. No exterior, um filhote de arara-azul, uma das aves mais ameaçadas, pode custar até 60 mil dólares.

Eu sentia que estava colaborando para esclarecer aquela situação. Conversava com os meus amigos no exterior e havia criado uma comunidade para divulgar tudo o que eu ia aprendendo.

— Hans! Hans!

Ouvi a voz do André me chamando.

— Vou ter que dar uma saída. Quer vir comigo? Vou num lugar que eu acho que você não foi ainda.

— Quero! – gritei. Coloquei o tênis rapidamente e desci a escada para me encontrar com ele.

— Vamos ao Mercado Municipal. Acho que você vai gostar.

— E é longe daqui, precisa pegar ônibus?

— Que nada, é perto.

Eu achava ainda melhor quando os locais eram próximos. Era muito mais gostoso sair caminhando porque eu frequentemente me deparava com elementos interessantes na cidade. Atravessamos a praça do teatro e descemos uma rua em direção ao centro. Sempre havia alguma construção antiga no meio do caminho, e quando André sabia algo sobre ela, me contava.

— Nesta casa azul viveu um poderoso barão da borracha — disse ele apontando para um sobrado de cor azulada. Cada casa daquela época trazia a data de sua construção gravada na fachada, o que tornava bastante fácil essa descoberta. Aquela apresentava, em tipos brancos, o ano de 1907.

O Miguel tinha me falado um pouco daqueles barões e de todo o dinheiro que haviam ganhado num período conhecido como Ciclo da Borracha. A borracha não era um produto de grande interesse para o resto do mundo; no verão ela ficava muito mole e no inverno, quebradiça. Essa situação durou até que um homem descobriu uma maneira de torná-la adequada para ser utilizada nos pneus dos automóveis que estavam surgindo no começo do século passado. Aí ninguém mais segurou o Brasil, que respondia por 90% da borracha consumida no planeta.

— Acho que o Miguel explicaria melhor; eu só sei de ouvir falar — justificou André.

— O quê? — perguntei.

— Dizem que a seringueira, que é a árvore da borracha, só existia aqui, em mais nenhum outro lugar do mundo. Só que ficavam longe umas das outras e dava um trabalhão pegar o líquido que escorria dela.

— Seiva — eu comentei. — O Miguel me falou que esse líquido viscoso se chama seiva. Os seringueiros tinham que cortar a árvore direitinho, num determinado período e de forma correta, senão ela morria. Tinha gente que fazia tudo errado e acabava matando a árvore.

— Tá vendo como você já sabe mais do que eu?

— Bobagem — respondi. — Você já viveu na floresta e sempre vai estar na minha frente. O que é que você ia me contar?

— Então... — prosseguiu ele. — O dono dessa casa azul ficou louco quando parou de ganhar dinheiro.

— E por que parou? — perguntei.

— Porque teve um cara lá da Inglaterra que roubou umas sementes de seringueira e levou para a Europa. Aí ele cuidou das plantinhas, preparou algumas mudas e fez uma plantação lá do outro lado do mundo, no Oriente. Não é que a seringueira gostou do clima e acabou se dando bem por lá?

— Ah, sim, o Miguel me contou que esse é um dos primeiros casos de biopirataria do mundo. Eles plantaram um monte de árvores, muito próximas umas das outras, e ficou fácil para retirar a seiva. Não demorou e eles tomaram todo o mercado do Brasil.

— E foi por isso que o dono daquele sobrado enlouqueceu. Ele perdeu quase tudo de uma hora pra outra.

— Será que ele não guardou nada? Ele deve ter ganho muito dinheiro!

— Acho que até ganhou, mas a mulher do cara mandava as roupas dele para lavar em Paris.

Não dava para acreditar que aquilo fosse verdade. Imagine só, com tanta água por ali, eles tinham a coragem de colocar as roupas num barco, despachar para a Europa e ainda esperar pelo retorno. Eles deveriam ter muita roupa para aguentar todo esse tempo sem as que foram embora.

— É por isso que quando eu casar, vou me casar com uma garota simples, da terra, que tenha os mesmos gostos que eu.

— Você já está pensando em casar? Tá doido?

— Vou te apresentar a Priscila, minha namorada. Ela é linda e eu gosto muito dela.

André nunca havia me falado de namorada, achei estranho.

– Quero conhecer ela sim – concordei. – Ah, mas você pode ficar tranquilo com relação ao outro assunto.

– O quê?

– A floresta já se vingou.

– Como assim, se vingou do quê?

– Eles levaram as mudas de seringueira só que não conseguiram prever uma coisa.

– Fala logo, Hans. Para de enrolar.

– O Miguel me contou que existe uma doença que ataca as seringueiras. Na floresta elas estão protegidas porque ficam muito distantes umas das outras e, assim, é difícil de acontecer uma contaminação em massa. Já lá, do outro lado do mundo, não tem a Amazônia, que é o habitat natural delas, para tomar conta de suas árvores. A doença está se espalhando rapidamente e, se eles não tomarem cuidado, vão perder tudo. Até porque já ocorre outro problema há bastante tempo.

– Qual?

– A borracha sintética. Acho que, em breve, os barões lá do Oriente vão entender o estrago que causaram aqui.

– Que azar, né? Ainda bem que a gente tem a floresta. Pronto, olha lá – disse ele apontando para a frente. – O mercado.

Vi ao longe um prédio amarelo de dois andares. Antes dele, havia o que parecia ser um grande galpão. Ao me aproximar vi que era isso mesmo: um longo galpão sem paredes. No alto dele, existia uma estrutura de metal, ricamente trabalhada, com alguns espaços. Entre eles, exibia-se um belíssimo vitral. Na parte final daquele galpão, dava para ver que havia também uma outra estrutura como aquela. Funcionavam como uma sustentação para o telhado que as unia.

– Vamos entrar no prédio. Você vai ver que tem muita coisa legal por lá. Aqui temos temperos de todos os tipos – lembrou André.

O cheiro era realmente excelente: uma mistura de aromas ora adocicados, ora ardentes. Grandes sacos exibiam temperos de variadas cores: vermelho, verde, amarelo. Os sacos ficavam com a boca aberta e o homem enfiava uma pequena pá dentro dele e vendia o produto por quilo. Mais à frente uma loja de animais vivos, na maioria galinhas. Dava dó de ver os patos e os gansos presos em gaiolas minúsculas. Fiquei com pena, pois aquelas aves adoravam espaço e água, deveria ser um sofrimento imenso ficar preso ali o dia inteiro. Em seguida, uma loja que comercializava diversos tipos de ferragens e peças. Logo após essa, localizava-se a entrada principal para o mercado, cheio de gente. O que mais se encontravam eram lojas de artesanato. Dava para ver imensos cocares e artefatos com motivos da região: machadinhas, flechas, roupas, colares, anéis, brincos, pulseiras.

— A Priscila faz artesanato e até entrega algumas coisas por aqui. Eu não sei falar sobre isso, mas ela sabe tudo.

Continuamos caminhando e viramos um corredor à direita.

— Quer um coco, moço? É baratinho — falou uma senhora japonesa me oferecendo um coco.

— Depois — respondi. Estava muito interessado em ver tudo o que tinha por ali. Naquele local em que estávamos havia frutas e verduras. Mais ao fundo, as prateleiras encontravam-se vazias.

— O que é isso, André? — falei apontando para uma espécie de coco, que parecia ter um monte de pedras dentro.

— Isto é um ouriço — disse ele. — É o fruto da castanheira.

— Uma fruta? — estranhei. — Esse monte de pedra?

— Não são pedras. Veja só — André pediu um martelinho para o homem que estava na venda e começou a martelar aquilo que parecia uma pedra. A casca, ao quebrar, revelou uma espécie de semente, clara e com uma pele. — Toma, experimenta.

— Nossa, que delícia!

— É castanha-do-pará. É boa mesmo! Eles costumam colocar no chocolate, fica melhor ainda. Só que essa árvore é um perigo.

— Por quê? — perguntei terminando de comer.

— A árvore é bastante alta e os ouriços caem de repente. Eles chegam a pesar até um quilo e meio. Se cair na sua cabeça, tchau, já era. De vez em quando tem vaca que morre desse jeito: com uma castanhada na cabeça! — riu ele no final.

Continuamos caminhando e nos deparamos com um monte de bancadas vazias.

— Aqui se vende peixe, mas é melhor vir de manhã bem cedo. Nesse horário já não tem nada — informou André. — Vem comigo que eu vou procurar o seu José pra pedir a encomenda do meu pai.

Eu não sabia o que a gente tinha ido fazer ali, até então pensava que era somente um passeio.

— O que você vai pedir, afinal de contas?

— Meu pai quer encomendar um pedaço de anta. Ele está com vontade de comer.

Fiquei sem entender muito bem e perguntei para ele.

— Me diga uma coisa... Anta... Anta, não é do mato, um animal silvestre?

— Sim, vive na floresta e eu preciso pedir, não tem sempre por aqui não.

Acompanhei André para ver como é que aquilo

iria acontecer. Ele encontrou um homem que estava sentado tomando uma cerveja e o cumprimentou. André questionou se ele sabia se tinha carne de anta por ali e ele respondeu que não. Se ele quisesse, ia ter pra próxima semana. André confirmou a compra, pagou e fomos embora. Depois que nos afastamos, perguntei:

— Mas André, não é ilegal matar esses bichos?

— Lá vem você de novo. Pode ficar tranquilo que eu não vou te convidar pra comer dessa vez não.

— Não é isso, André. Eu adorei almoçar com a sua família, eles foram simpáticos, é que...

— Eu achei que você não tivesse gostado. Não falei nada naquele dia, mas depois que vimos o peixe-boi você ficou com uma cara muito brava. Você disse umas coisas estranhas que parecia até que a gente tinha cometido um crime lá em casa.

— Eu não quis ofender você.

— Não tem problema, não, Hans. Eu conversei com o meu pai e ele me explicou tudo direitinho. Não fiquei bravo com você.

— Você falou com o seu pai, mas falou o quê? Eu não quero que ele pense que eu não gostei deles...

— Ele me contou que vocês da cidade são mesmo um pouco diferentes, não estão acostumados com certas coisas.

— É que eu não entendo. Não é proibido por lei caçar peixe-boi, anta, jacaré, piranha e até urubu?

— Sim, é!

— Então, como é que vocês comem a carne desses bichos a toda hora?

— Acho que você não sabe como é a vida de quem mora na floresta.

— Eu já percebi que é uma vida dura, cheia de dificuldades. Mas me parece que tem muita comida por lá, peixe aos montes, que é uma carne saudável. Não sei pra que as pessoas precisam comer peixe-boi.

— Não é tão fácil assim comer peixe-boi. É difícil, você deu até sorte. Ninguém mais caça, só se cair na rede, se estiver atrapalhando a pescaria. Aí o pessoal mata e come.

— Mas tá errado!

— Hans! O que você queria? Você pensa que é bom comer peixe todo dia? Que não enjoa? A gente não sai na floresta matando tudo que é bicho que vê. Só faz isso quando está com fome. Eu mesmo já comi de tudo, macaco, anta e até onça. Quando o rio está muito cheio fica difícil pescar. Você já precisou sair no meio do rio, com chuva, para tentar pescar porque está com fome? Não é fácil não, é até perigoso.

Eu estava impressionado com a clareza do André. As palavras saíam da boca dele com facilidade, verdadeiras, contando a experiência de quem havia passado na pele por muita privação, coisa que eu nunca tinha sentido. Eu não sabia o que era passar fome, não ter lugar para dormir, sofrer com as cheias do rio. Comecei a me arrepender do meu comentário, tão infeliz.

— E a roça? Muitas vezes, não vai pra frente. A gente planta mandioca, batata, mas aí, numa distração, o catitu aparece e come tudo. É muito difícil. Ninguém sai matando os bichos no mato para se divertir. Os caboclos, como meu pai, não fazem isso não.

— Mas é que seu pai não está na mata agora, tem outras coisas pra comer, não precisa ficar encomendando essas carnes diferentes.

— É porque virou um hábito dele, de vez em quando ele quer caça. Não é sempre que isso acontece, então não tem tanto problema assim.

— Tá certo, André. Eu entendo que as pessoas precisam caçar de vez em quando. Só não consigo aceitar que isso continue aqui na cidade. Se todo mundo que veio da floresta continuar com esses hábitos, daqui a pouco não vai sobrar bicho nenhum pra contar a história.

— Como você é exagerado. Não é assim não. O pessoal lá também protege muito, ouviu? Se pegarem alguém tentando roubar os animais da mata pra vender, eles denunciam, avisam a polícia e até prendem. Pode ir lá perguntar pro Miguel se não é verdade.

A conversa ficou meio tensa. Resolvi deixar a história de lado e refletir sobre tudo o que a gente tinha conversado. Fiquei quieto e não toquei mais no assunto. André ainda argumentou, mas parou logo.

— Vem cá que eu vou te mostrar uma outra coisa.

Saímos do mercado e chegamos em uma avenida, completamente congestionada. Atravessamos e fomos para a calçada do outro lado. Já dava para ver o rio. Na verdade, aquela avenida corria ao longo do rio, só que o leito dele deveria estar há uns dez metros abaixo.

— Está vendo aquilo ali, lá embaixo?

André apontou para uma espécie de porto. Havia um fluxo intenso de pessoas indo naquela direção.

— Vamos lá!

Descemos uma escadaria que era dividida em dois lances. O primeiro terminava em um patamar e o outro, no chão. Havia um trânsito incrível, gente por toda parte. Todos se dirigiam para uma espécie de ponte, muito improvisada, que era, na verdade, somente longas tábuas que ligavam uma pequena praia a um cais cheio de embarcações.

— Com licença — disse um homem.

Quando eu me virei, levei o maior susto. O homem carregava sozinho, equilibrando na cabeça,

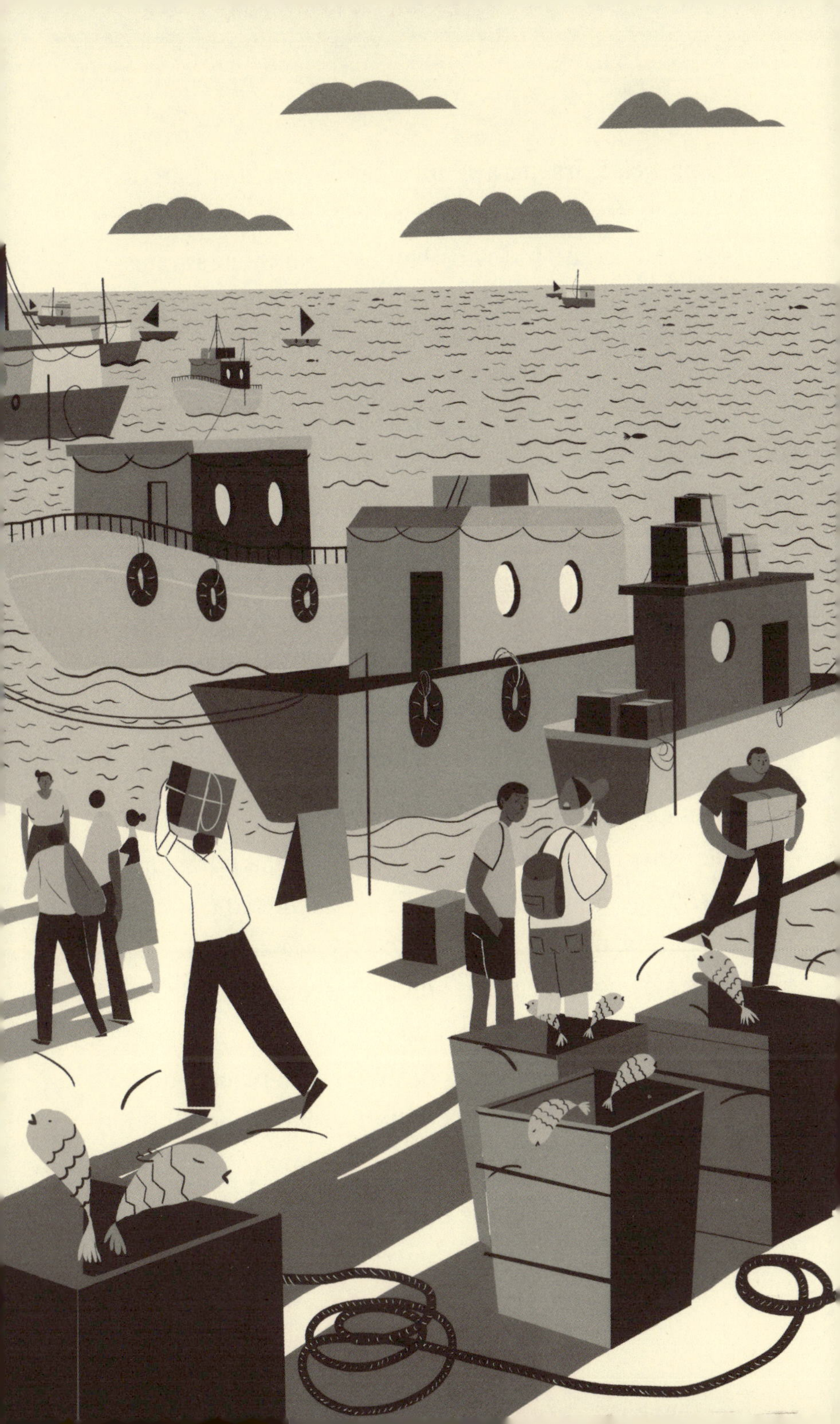

uma geladeira para o interior de um dos barcos. Não conseguia crer que ele havia passado pela mesma ponte que eu. Todos os barcos eram interessantes, tirei muitas fotos.

– São os ônibus do rio – explicou André.

E eram mesmo. Todos apresentavam uma placa com o nome de uma cidade como destino e a data em que iria partir. Dentro deles havia algumas pessoas e diversas redes.

– Tá vendo as redes? – mostrou André. – São as camas de quem vai viajar.

– E eles vão pra onde? – perguntei.

– Pra todos os lugares do Amazonas, do Pará e pra onde mais o rio levar. São viagens demoradas, às vezes de vários dias, cansativas e até perigosas. Já aconteceu de um barco afundar e morrer um monte de gente. Eu já andei num desses e tinha horas que eu só queria me jogar e nadar no rio de tão cansado que eu ficava. Não tem muito o que fazer aí dentro, mas até que se vê coisas bonitas, como a lua refletida no rio em noite de lua cheia.

Eu olhei para o interior do barco e parecia uma selva de redes. Homens continuavam trazendo todo o tipo de mercadoria para as embarcações: água, comida, refrigerantes, móveis. Aproveitei para tirar algumas fotos. Ao longo de toda aquela plataforma, vi pessoas sentadas sobre seus pertences, provavelmente esperando o momento de poder embarcar. Ancorado, observei uma espécie de posto de gasolina flutuante.

– Agora, olha lá pra cima – apontou André.

Do ponto em que eu estava não dava mais para ver o mercado, apenas o topo de alguns carros passando pela rua, muito acima do nível do rio.

– O rio sobe até lá, até a calçada, quando dá a cheia – continuou ele.

– O quê? – falei espantado sem conseguir acreditar no que ouvia. – A água vai até lá em cima?

– Sim senhor – respondeu André. – Por que você acha que tudo aqui está flutuando? Não percebeu os pneus ao redor do cais, do posto de gasolina? Tudo acompanha o rio, a gente vive em função dele, Hans. Então, todo mundo sabe da importância dele e da floresta.

– Desculpe, André. Acho que você ficou ofendido com o que eu falei...

– Fiquei nada, Hans. É assim mesmo. Só queria que você visse isso para entender que, aqui, não destruímos nada, que amamos a nossa terra. Eu não gostaria de morar em nenhum outro lugar do mundo. A vida é dura, mas a gente aprende a viver bem respeitando a floresta.

— Você nunca teve vontade de sair daqui, viajar? — perguntei.

— Claro que sim! Quero ver outras cidades, São Paulo, Rio. Mas acho que lá não deve ter uma floresta tão bonita como a nossa. Meu pai já foi lá e contou que é muito frio. Disse que não voltava nunca mais.

Fiquei pensando no que o André me relatou: "não gostaria de morar em nenhum outro lugar do mundo". Embora eu estivesse ali há tão pouco tempo, e não entendesse tanta coisa, eu também não sabia se conseguiria viver sem aquele calor gostoso, se bem que eu vivia esquecendo de passar o protetor solar e sofria com algumas queimaduras, e sem o belo pôr do sol no rio Negro.

— Tá bom, André. Só que agora eu quero a minha parte da floresta!

— O quê? — perguntou ele se equilibrando na ponte caminhando de volta para a terra firme.

— *Um água de coca bem gelado parrra mim, grrringa, beberrr!*

Ele riu e corremos de volta para o mercado. André me mostrou um lado totalmente inesperado. Ele tinha todas as razões do mundo para justificar suas atitudes. Eu ainda não tenho, porém, quando eu as tiver, talvez ele se junte a mim e nunca mais coma carne de caça. Só o tempo dirá...

5
Faz parte da família

— **H**ans! Hans! – ouvi André gritando. – Liga a televisão, rápido!

André entrou feito doido na sala de aula, onde eu estava estudando flauta, insistindo para que eu ligasse a TV.

– O que foi? O que é que tem de tão interessante assim?

Desde que eu havia chegado no Brasil, uma das coisas que eu não fazia era ver TV. Nem na Alemanha eu tinha paciência. Só via, eventualmente, algum noticiário local, mas os programas de auditório e as novelas, simplesmente eu não curtia.

– Acho que tem um parente seu na TV que não se deu bem.

Parente? Achei estranho, pois os únicos parentes que eu possuía no Brasil eram os meus pais, que ensaiavam no teatro para uma apresentação que iria acontecer em breve. Eles atuavam como músicos convidados, não eram contratados da orquestra. Sentiam-se mais livres e podiam tocar somente quando e o que quisessem.

Liguei a TV e havia um policial falando:

"O que esse homem fez é muito grave e ele vai ficar preso. Já teve o passaporte retido e não pode sair do Brasil..."

Então a imagem mudou para um repórter que se encontrava dentro do aeroporto explicando o que tinha acontecido:

"Um homem, de cerca de quarenta anos, tentou embarcar levando espécies raras do Amazonas sem autorização. Sua mala estava repleta de insetos e borboletas. O mais incrível é que ele tentava levar três filhotes de papagaio, vivos, escondidos no bolso do paletó."

Novamente cortaram para o guarda, que prosseguiu dando entrevista:

"A gente estranhou que ele estivesse usando um casaco tão pesado aqui em Manaus. Quando ele foi passar pelo detector de metal, a máquina apitou. Pedimos para tirar o casaco, mas ele não quis. Aí, procuramos conversar, ele se assustou com o movimento que estava se formando e tentou fugir. Achamos até que podia ser algum atentado e, por isso, tomamos bastante cuidado na abordagem. Quando ele se viu encurralado, de repente, tirou um filhote de papagaio do paletó, quebrou o pescoço da ave e a atirou no chão. Fez isso mais duas vezes, antes de ser capturado."

Então o repórter começou a pegar a opinião de várias pessoas, algumas estavam presentes no local e outras no centro da cidade.

"Isso é um absurdo! Estou chocada! Como tem gente ruim neste mundo."

"Deveriam fazer a mesma coisa com ele."

"Na hora eu fiquei com muito medo, pensei que ele fosse explodir uma bomba no aeroporto."

"Tem que ficar preso, e pra sempre!"

"O governo é incompetente. Tinha que vigiar melhor nossas fronteiras. Aposto que acontece todo dia. Bandidos tirando os bichos da floresta e carregando dentro das malas. Isso tinha que acabar, mas enquanto existirem pessoas matando passarinho a pedrada por aqui..."

O repórter voltou dizendo que não havia conseguido autorização para conversar com o preso a fim de compreender as razões do crime e que a cobertura completa da notícia se daria na edição noturna do jornal.

– Credo! Que coisa horrível. Aquela mulher está certa, tem muita gente ruim neste mundo. Tem que ser meio doido pra fazer uma coisa dessas.

– Também acho – concordou André. – O cara é bem inexperiente. Onde já se viu, carregar papagaio no bolso?!

— Tomara que fique mesmo preso.
— Mas você não vai ficar com pena dele?
— Como assim?
— É seu parente, afinal de contas?
— Como assim, meu parente?
— Você perdeu o começo da reportagem — disse André. — O cara é alemão.
— E só porque é alemão, ele é meu parente?
— Você podia ter dado uns conselhos pra ele, sei lá. Parece que ele gosta tanto de bicho quanto você — riu ele em seguida.
— Só que eu não saio matando nada por aí.

Eu havia ficado indignado com aquela história. Miguel tinha me alertado a respeito da crueldade praticada contra os animais, não só na Amazônia como em todo o país.

— Tá bom, Hans. Não gostei do que aconteceu, achei muita sacanagem. Brasileiro também faz isso, mas não desse jeito. Só podia mesmo ser estrangeiro.

Eu não quis argumentar, porém, sei que nem todo estrangeiro agiria de maneira ilegal. Eu, por exemplo, de tanto conversar com Miguel e ler na internet, estava quase me tornando um ativista de proteção animal. Se me deixassem, acho que ia gastar mais tempo em defesa dos animais do que trabalhando na ONG dos meus pais. Eu ainda não podia fazer isso, eles iriam ficar magoados, afinal de contas toda a nossa vida foi voltada para realizar esse projeto e eles contam comigo para falar com os jovens e entrar no mundo deles.

Meus pais descobriram que cuidar da ONG envolvia diversos outros assuntos que os tiravam do que eles realmente pretendiam: ensinar, tocar e, quem sabe, formar uma jovem orquestra. Muitas vezes eles ficavam correndo atrás de papéis ou indo a bancos para receber o dinheiro das doações que chegavam do exterior. Eu fazia tudo o que eles pediam, mas, aos poucos, fui entrando cada vez mais naquele novo universo que tanto me interessava. Até consegui atrair a atenção de outras pessoas, graças às minhas ações pelas redes sociais. Como eu queria conquistar a maior abrangência possível, eu escrevia os posts em três línguas: em alemão, que eu domino melhor; em inglês, que eu estudei bastante; e em português, que eu ainda estava aprendendo. Antes de jogar o texto em português na rede, eu mandava para o Miguel corrigir e ele me devolvia com algumas observações e maiores dados. De repente, comecei a receber mensagens de cidadãos de vários lugares diferentes querendo saber sobre a minha experiência de vida na Amazônia.

Certo dia, finalmente, André pareceu disposto a me apresentar a sua namorada.

– Vamos visitar a Priscila! – disse André. – Não é muito longe e a gente consegue voltar a tempo do jantar.

Pegamos o ônibus e lá fomos nós pelas avenidas. Se não fossem os convites do André, eu não saberia jamais de assuntos que só quem vive por ali conhece.

– Pronto, vamos descer aqui.

Saltamos do ônibus e caminhamos por uma rua estreita. Em cada um dos lados, várias casas, algumas feitas de madeira, outras de tijolos, sem reboco ou qualquer outro tipo de acabamento, mas, ao contrário do centro, havia muitas árvores, algumas frutíferas. Dava pra ver diversas mangueiras carregadas de frutas. Foi aí que eu me lembrei de que, até aquele momento, ainda não tinha comido nenhuma fruta tirada do pé.

– Pri! Pri! – gritou André diante de uma casinha simples, pintada de branco. Existia apenas uma janela, que dava para a rua, ao lado da porta de entrada. Essa se abriu e uma garota apareceu. Usava uma blusinha sem mangas e calças jeans. Os cabelos eram negros e compridos. Ela, claramente, possuía traços indígenas, que lembravam um pouco o homem que eu tinha visto na rua com as cobras. Deveria ter uns 14 ou 15 anos. Ela sorriu quando viu André e fez sinal para que entrássemos.

Abrimos um pequeno portão e atravessamos o jardim bem-cuidado, com rosas, margaridas e outras flores que eu desconhecia completamente.

– Você que é o Hans? – perguntou ela, nos convidando a entrar. – O André me falou de você. Muito prazer, eu sou a Priscila – em seguida ela me deu dois beijinhos, um em cada lado do rosto. Eu ainda não havia me acostumado com esse hábito no Brasil, mas estava achando bem interessante.

– Ele me disse que você trabalha no Teatro Amazonas, é verdade?

– Não é bem assim – falei. – Meus pais tocam lá de vez em quando e eu sempre dou uma passadinha. Todos os músicos da orquestra se interessaram pela ONG e alguns estão até a fim de dar aulas com a gente, e de graça.

– Ah, é que eu nunca entrei no teatro. Tenho muita curiosidade.

– A escola levou a gente lá uma vez – lembrou André. – Você que não quis ir.

– Fiquei com vergonha, sei lá! Nem tenho roupa para ir num lugar daquele.

– Não precisa ter roupa especial – respondi. – Se quiser, um dia que meus pais estiverem ensaiando, eu levo você lá.

– Sério? Vou ficar muito contente. Eu acho o teatro lindo. Tem um monte de gente que nunca entrou nele. Não sou só eu, viu, André?

Fiquei com vontade de provocar o André porque os dois não se comportavam como namorados. Ela parecia dar a ele o mesmo tipo de tratamento que dispensava a mim.

– Gostou das minhas corujas? – perguntou ela, reparando que eu olhava para um armário lotado de corujas de todos os formatos: grandes, pequenas, de vidro colorido, de porcelana, de palha, de plástico. – Eu faço coleção. Adoro!

– Ela já tentou até ter uma de verdade – disse André, rindo.

– Não deu muito certo – lamentou Priscila. – Uns amigos prenderam uma coruja uma vez, só para me dar, porque todo mundo por aqui sabe que eu gosto delas. Eu fiquei feliz no começo, mas ela não parava de piar, piava o dia inteiro, a noite inteira. De vez em quando até gritava. Minha mãe foi se cansando e falou que ia me denunciar para o Ibama, aquele instituto que cuida do meio ambiente no Brasil. Eu me cansei de tanto pia-pia e resolvi soltar a coitadinha. A coruja sumiu rapidinho, nunca mais eu vi a danada.

– Você fez o certo! – respondi.

– É, agora eu também acho! Mas deixa isso pra lá. Vou te mostrar o que eu faço. O André me falou que você viu algumas coisas no mercado e ficou curioso. Vem cá que eu vou te contar tudo.

Priscila nos levou para um quartinho no interior da casa. Na cozinha pude ver sua mãe, que nos recebeu com um grande sorriso. O pai dela trabalhava fora, no comércio, e os outros dois irmãos pequenos estavam brincando no jardim.

— Veja só! — mostrou ela. — É aqui que eu trabalho.

Sobre uma pequena mesa havia uma porção de caixinhas, cada uma com um tipo de pedrinha colorida.

— Você monta essas pedrinhas?

— Não são pedrinhas — sorriu ela. — São sementes. Eu monto colares, pulseiras e faço mais um montão de coisas com elas.

Não podia acreditar que fossem apenas sementes. As cores variavam bastante, pareciam manchas cuidadosamente impressas em artefatos de plástico.

— Esta é uma semente de babaçu — explicou ela, erguendo um caroço grande e escuro, do tamanho de um de abacate.

— Nossa, parece uma pedra preciosa, toda lapidada. Foi você que fez isso também?

— Não. Foi outra pessoa. Cada um faz uma parte do trabalho. Eu, como te disse, só monto.

— E quem mais faz isso? — perguntei.

— A vizinhança toda trabalha nisso. Aqui, antigamente, não tinha muito trabalho. A ocupação era pouca. Um dia chegou uma moça, a nossa madrinha, perguntando se alguém queria aprender a trabalhar com sementes para fazer bijuteria. Eu aceitei e ela foi me ensinando tudo o que eu sei. Acabou gerando trabalho pra todo mundo. Tem gente que vive de procurar as sementes na floresta, outros de limpar, lapidar. Eu as furo com uma broca e vou montando os colares, do jeito que eu achar mais bonito. Eu uso sementes de puçá, açaí, tucumã, jupati, buriti e chumbirana. Até o ouriço da castanha eu uso pra fazer pulseira.

— E você consegue vender tudo? – questionei, tentando me lembrar de pelo menos um dos nomes que ela havia dito, mas eu tinha problemas com esses nomes que, provavelmente, eram de origem indígena.

— Tem muito turista por aqui. Eu levo para algumas lojas no mercado, hotéis. Os meus colares são bem bonitos, oras! Acabo vendendo tudo. Graças a eles que a gente está conseguindo arrumar a nossa casinha.

Percebi que André olhava para a garota sem piscar. Ele parecia apaixonado por ela, mas nada indicava que ela sentisse a mesma coisa por ele.

— Tó – disse ela. – Leva esse para a sua mãe.

— Mas...

— Não se preocupe, fica sendo o meu ingresso para o dia em que você me levar para o teatro.

Nem tive tempo de argumentar. A garota colocou o colar em um saquinho e me deu.

— Não vai colocar no bolso, senão vão pensar que você está traficando espécies da Amazônia — riu André quando me viu guardando o colar.

— Como assim? — disse Priscila.

— Você não viu o noticiário hoje? O Hans é alemão e... — André contou toda aquela história para a Priscila que, como a maioria das outras pessoas, ficou muito chocada.

— Tomara que a Midori não tenha escutado essa história.

— Quem é Midori?

— Midori é minha vizinha — respondeu Priscila. — A família dela tem um papagaio em casa. Acho que ela ia ficar louca se soubesse que uma coisa dessas aconteceu.

— E ela tem autorização para criar o bicho em casa?

— Como assim, autorização? — interessou-se Priscila.

— Ah, não — disse André. — O Hans já vai começar...

— Mas é só um papagaio, um monte de gente tem...

Foi então que começamos a ouvir os gritos de uma ave.

– O que é isso? – perguntei.

– Foi só falar nela e aí está. Deve ser a Midori dando comida para o papagaio. Ele sempre fica agitado quando ela se aproxima dele. Parece até que é filho.

Eu me esforcei para ouvir melhor os gritos do pássaro e parecia mesmo que ele estava falando algumas palavras.

– O nome dele é Gavião.

– O papagaio se chama Gavião?

– É. Quando ele era muito novinho, ficou sozinho na varanda e um gavião tentou atacar ele. Deu tempo de salvar, acho que ele só perdeu umas penas da cabeça. Daí ganhou esse nome. Vem cá, do meu quintal dá pra ver o Gavião direitinho.

Fomos até o quintal e ficamos olhando uma garota, de traços orientais, limpando a gaiola do papagaio. Ao vê-la, Priscila gritou:

– Tudo bem, Midori?

– Oi, Priscila. Estou cuidando do Gavião. Ele está meio agitado hoje, nem comeu direito.

– Eu estou mostrando ele para os meus amigos aqui.

Quando Priscila nos chamou de amigos, eu dei uma olhadinha para o André, que fingiu não perceber.

– Vem aqui com eles para ver de perto – pediu ela.

– Vocês querem ir lá? – perguntou Priscila.

— Sim — respondi ansioso. Eu ainda não havia visto nenhuma ave tão de perto, ao ponto de poder tocar. Fiquei curioso com aquele bichinho que parecia falar muitas palavras.

— Não sei, mas acho que isso não é uma boa ideia — disse André, prevendo que alguma coisa, realmente, não ia sair do jeito esperado.

6
Liberdade!
Liberdade?

O muro que separava as casas de Priscila e de Midori não era muito alto, mas não ficava bem pulá-lo. Priscila pediu para que a amiga aguardasse um pouquinho enquanto déssemos a volta para entrar pela porta da frente.

– Entrem! – convidou Midori quando nos viu. – Querem tomar um suco de cupuaçu?

– Quero! – respondeu André sem maiores pudores. Ele, provavelmente, já conhecia Midori, pois sempre ia na casa da Priscila. Para mim, já estava claro que Priscila não sabia que era a *namorada* dele. Eu fiquei quieto porque não queria atrapalhar nada, mas, depois, toda vez que ele risse de mim, eu teria uma razão para rir dele.

Midori serviu o suco para cada um de nós e começamos a conversar. Contei um pouco sobre mim e, em seguida, ela falou a respeito da vida dela.

– Não faz muito tempo que eu vivo aqui – disse. – Meus pais moram em Belém do Pará. Eles sempre cultivaram pimenta-do-reino e algumas frutas. Agora estão começando a investir na soja porque o mercado é mais promissor.

— E por que você veio morar aqui? — perguntei.

— Meu irmão saiu da fazenda para estudar agronomia. Ele se formou e acabou voltando para nossa propriedade para tomar conta das coisas. Eu... No meu caso... Tudo foi um pouco diferente. Tive que brigar! Achei que fosse justo que eu também tivesse a chance de estudar fora. Gosto mais da cidade, de computação. Foi difícil, mas convenci meu pai de que eu teria um futuro melhor vindo para Manaus porque tem muita indústria de eletrônicos, computadores. Poderia fazer o ensino médio por aqui mesmo e, quem sabe, até faculdade e arranjar um emprego em alguma fábrica. Foi duro, mas eu não desisto fácil. A sorte é que minha tia já morava aqui com a minha avó e elas disseram que iam adorar que eu ficasse com elas. A vovó precisou fazer um tratamento de saúde e nunca mais foi embora de Manaus. Meus pais me trouxeram para cá. Depois que eles se convenceram de que tudo estava certo, resolveram retornar para Belém.

— Eles viram que você não ia voltar de jeito nenhum — comentou Priscila.

— Acho que acabaram percebendo mesmo — riu Midori. — Depois que eu vim pra cá, decidi que só iria voltar quando eu realizasse os meus projetos. Não é também o fim do mundo, a gente se fala sempre e eu fico um tempo das férias com eles.

— Você não gostava de viver lá? — questionei.

— Gostava sim, bastante até. Mas toda a mudança está me fazendo bem. Lá na fazenda tudo era mais difícil. Eu ficava meio escondida. Tinha pouco contato com a cidade. Nem computador eu possuía; minha tia acabou comprando um pra mim, de presente, assim que me mudei pra cá. Vivia com vontade de conhecer coisas novas, mas o transporte era complicado. Precisava viajar muito. Quando meus pais iam vender alguma coisa na cidade, eu aproveitava para ir junto para dar uma olhadinha em tudo.

— Que engraçado — comentei. — Comigo é exatamente o contrário. Sempre vivi na cidade. Vim da Alemanha e, agora que estou aqui, fico com vontade, cada vez mais, de ir para o meio da floresta. Por mim, eu ia viver com os povos indígenas.

Todos riram.

— Não sei... — duvidou Midori. — Acho que se você fosse viver lá ia acabar mudando um pouquinho de ideia.

— Por quê? — perguntei.

— Os indígenas, hoje em dia, estão bastante diferentes.

— Como assim?

— Meu pai diz que eles não gostam de trabalhar — disse Midori. — Vive dizendo que agora que conheceram a vida dos brancos, eles só querem saber de telefone celular, antena parabólica e dinheiro do governo.

— Não é bem isso, Midori — reclamou Priscila. — Até já briguei com você por causa desse comentário. Eu sei que eles trabalham sim porque têm alguns que entregam sementes para a gente fazer artesanato e ganham uma miséria.

— É — comentou ela. — Às vezes, a gente fica com a impressão de que eles querem tudo pra eles. É só alguém falar que vai fazer uma plantação que aparece um monte de indígena, dizendo que aquela terra é deles, que não pode entrar. Meu pai vive com esse problema, mas depois que o progresso chega, vem o dinheiro, aí todo mundo quer uma parte...

— Só que a terra era mesmo deles, Midori — afirmou Priscila. — Se ninguém reclamar, todos eles vão acabar sendo expulsos e não vão ter mais onde viver.

Senti que elas iam começar a discutir feio e resolvi interferir no assunto. Eu tinha uma boa saída para aquilo. Vi que havia uma flauta em cima de um sofá e perguntei:

— Você toca flauta, Midori?

— Mais ou menos — respondeu ela, que pareceu feliz por poder desviar daquela conversa.

99

— O Hans dá aula de música — disse André, que também só ficou observando a discussão. — E de flauta!

— O que é tocar mais ou menos? — questionei.

— É que eu ganhei essa flauta do meu pai em uma de nossas idas até a cidade. Comprei de um indígena. Tá vendo, Priscila, eu me importo com eles! — provocou ela. — Quando eu voltei para a fazenda, vi que não era tão fácil tocar, ainda mais porque não tinha nenhum professor por ali. Um dia, eu estava debaixo de uma árvore, comendo manga...

— Que é o que mais tem por aqui... — riu-se André.

— É verdade — confirmou Midori. — E eu ouvi um passarinho cantar. Tive então a ideia de tentar reproduzir o canto dele. Fui correndo até em casa pegar a flauta e voltei. Claro que o danado havia sumido. Fiquei quieta embaixo da árvore esperando para ver se ele voltava. E isso aconteceu porque existiam algumas árvores cheias de frutas e eles vinham comer. O passarinho começou a cantar e eu tentei repetir. No começo, acho que eu espantei vários deles.

— E quais passarinhos você sabe imitar? — me interessei.

— Eu mostro pra vocês — Midori pegou a flauta e tocou alguns sons de melodias curtas. Ela nos informou que aqueles eram os cantos de determinados passarinhos da Amazônia, como o caburé e o capitão-da-mata. – Eu queria mesmo era conseguir imitar o canto do uirapuru, só que eu nunca ouvi nenhum. O povo diz que é um canto mágico, o mais belo de toda a floresta. Dizem que quando ele canta, todas as outras aves param para ouvir.

– Se você nunca ouviu, saiba que vai ficar cada vez mais difícil – comentei.

– Por quê? – perguntou Midori.

– Ih, agora ninguém segura! – reclamou André. – O Hans conhece tudo dos animais da floresta.

– Não é bem assim – respondi. – É que eu tenho um amigo, o Miguel, que trabalha no Inpa e que me conta muita coisa sobre a floresta. Ele me disse que o uirapuru é uma ave que possui um canto muito bonito e que existem diversas lendas ao redor dele. Mas tem gente que acha que dá sorte ter um empalhado em casa. Então, se continuarem matando as aves só por causa disso, daqui a pouco não vai ter nenhuma mesmo.

– Ah, e por falar em ave – lembrou Midori. – Foi por causa do Gavião que vocês vieram aqui. Vamos lá fora!

A casa dela era parecida com a da Priscila. Um pequeno corredor separava os cômodos. A sala, que ficava logo à frente, tinha ligação com a cozinha, que já dava direto para o quintal. No corredor havia três portas, uma do banheiro e as outras de dois pequenos quartos.

— Avó! Avó! — Midori ia repetindo essa palavra enquanto a gente chegava no quintal. — Avó! Avó! — já dava para ouvir um bater de asas e alguns sons estranhos, meio roucos. — É o Gavião, tão ouvindo? Ele adora minha avó e fica agitado quando pensa que é ela que está chegando. Pena que ela foi na feira, mas já, já ela volta e vocês vão ver só a alegria dele.

Saímos no quintal e vimos o papagaio em cima de um poleiro. Ele deslizava de um lado para o outro, como que procurando pela voz que ouvia, repetindo a palavra "avó" perfeitamente.

— Ele está meio agitado porque deve estar estranhando vocês.

Foi então que eu o observei com mais calma e vi que ele estava preso por uma corrente.

— Ele está preso? — perguntei.

— Sim — disse Midori calmamente. — Agora ele precisa ficar assim.

— Por quê? — me interessei.

— Ele sempre viveu solto, andava pela casa, comia na mesa.

— E ele não fugia? — estranhei.

— Não. As asas dele eram cortadas.

— Como assim, cortadas?

Avó

— Minha avó cortava um pouco das penas das asas para ele não voar. Mas eu acho que, mesmo que ele pudesse, não ia pra muito longe. Já está tão acostumado a viver aqui que não ia fugir de jeito nenhum, nem precisa cortar mais.

— Ele desaprendeu a voar por acaso? — riu André.

— Não. É que, de uns tempos pra cá, ele tem ficado quietinho. Só espreguiça as asas. Pensamos que ele estivesse doente, mas tá comendo direitinho, então, deve ser porque ele está ficando velho...

— Se ele não voa, por que ele fica preso nessa corrente? — perguntei sem me conformar com aquilo.

— É porque temos medo de que ele caia e não consiga voltar pro poleiro. Se ele ficar no chão pode ser atacado, sei lá, por algum rato, gato. Quando alguém está em casa ele pode permanecer aqui fora. Qualquer coisa diferente que aparece ele começa a gritar e a gente vem correndo. Antigamente, até que ele conseguia voltar pro poleiro, mesmo de asa cortada. Agora não consegue mais, tadinho.

— E se não der tempo de, sei lá, socorrer ele?

— Sempre deu. Ele está aqui com a minha avó faz mais de vinte anos. Veio filhotinho. A prova de que sempre dá tempo de fazer alguma coisa é que o gavião não levou ele embora.

— Então, ele nunca voou de verdade? — reclamei.

— Acho que não — disse Midori, fazendo uma gracinha no peito dele. Gavião se arrepiou todinho e parecia gostar do carinho que recebia. — Ele adora uma coçadinha.

— Tadinho — lamentei em voz alta. — Acho que a vida dele foi muito infeliz.

Midori parou de coçar o peito dele e perguntou:

— Como assim?

— Não deve ter sido fácil uma vida desse jeito, eternamente olhando para as árvores mais altas, sem poder voar.

André lançou um olhar para Priscila como que dizendo: "Vai começar".

— Mas ele viveu solto a vida inteira, só está preso agora.

— Não sei... Será que ele sempre viveu solto mesmo? Acho que viver longe de seus semelhantes não é ter liberdade.

— Não estou entendendo — comentou Midori.

Às vezes eu pensava que falava muito enrolado, dava diversas voltas e as pessoas não entendiam o que eu queria dizer. Porém, como o André não estava rindo, acho que não era o caso. Naquele momento eu estava vendo Miguel falando comigo, e usava, praticamente, os argumentos dele.

— Você falou que o Gavião vive aqui desde pequenininho. Por acaso existia algum outro papagaio?

— Não me lembro da minha avó ter falado de outro além dele.

— Então é isso! Ele nunca conviveu com nenhum semelhante. Vai ver que ele nem sabe como é outro papagaio. Imagine se tirassem você do berço em que nasceu, levassem para um lugar estranho, te dessem uma comida que não é a que você iria comer com a sua família. Depois te trancassem numa gaiola para sempre. Será que você iria gostar?

— Mas eu não acho que ele seja maltratado. A comida que a gente dá é a melhor que tem. Jamais falta fruta, ele não passa frio, nem sede. Todo mundo gosta e sempre cuidou muito bem dele. Olha só como ele gosta de mim! – disse ela, estendendo novamente o dedo e coçando a barriga dele.

— Eu sei – respondi. – Mas quando ele foi tirado da mata, ele não sabia o que iria enfrentar. Sabe-se lá se não tiraram alguns irmãozinhos dele também. O que foi que aconteceu com eles? Você sabia que eles colocam os filhotes de passarinho em canos de pvc, um atrás do outro, e deixam eles ali dias sem comida, sem bebida, até sem respirar? Escondem esses canos embaixo de malas e transportam pelas estradas e pelos piores lugares possíveis. No fim, quase todos morrem. Os traficantes fazem coisas terríveis.

— Por acaso você está me chamando de traficante de animais? — perguntou Midori.

— Não, desculpe, não foi isso que eu quis dizer.

— Pois eu acho que você está enganado. Minha avó GANHOU de presente esse papagaio no dia em que o meu avô morreu. Ela não foi no mato tirar ele do ninho nem comprou da mão de ninguém. Se ela não tivesse pego, provavelmente ele teria morrido. Ela sempre tratou dele muito bem e eu tenho certeza de que ele não viveria sem ela — explicou Midori devagar, em voz baixa, entretanto um pouco irritada.

De repente, percebi que ela poderia ter ficado ofendida, mas eu só disse o que pensava daquilo.

— E tem outra coisa — continuou ela. — Pelo que eu sei, a região de onde ele veio nem existe mais, virou uma fazenda e estão plantando muita soja nela. Ele não teria lugar para ficar, talvez até já tivesse morrido. Teve mesmo é muita sorte de ter encontrado uma família como a minha. O que você queria que a gente fizesse? Soltasse ele na mata, sozinho? Ele não aguentava nem um dia.

Eu acabei ficando sem argumento.

— Midori — falou André. — Posso pegar mais suco?

Foi a deixa para todo mundo voltar para a sala. O clima ficou meio tenso, Midori parecia não estar a fim de conversar comigo. Acho que ela realmente ficou brava. Permanecemos algum tempo sentados no sofá e quando anunciamos que queríamos ir embora, ela não pediu para a gente ficar um pouquinho mais, como faziam as outras famílias brasileiras que eu havia visitado. Saímos da casa dela e voltamos para a da Priscila.

— Não liga não, Hans — consolou ela. — Eu concordo com você totalmente. Sempre fui contra essa coisa de criar bicho em casa.

— Fora a coruja... — lembrou André.

— Mas eu percebi que aquilo era errado e soltei ela. Já pensou, viver presa o resto da vida? Só fiquei quieta porque eu já tinha quase brigado com a Midori sobre aquele papo das florestas e eu não quis começar tudo de novo.

— Ela é meio brava, não é não? — disse André.

— A Midori é legal, eu gosto dela. Ela já quis aprender a fazer bijuteria, mas não estava conseguindo conciliar com os estudos. Ela é interessada, gosta de coisas novas. Só que tem uma cabeça um pouco diferente. Sempre viveu presa num lugar só e quando encontra alguém com uma ideia oposta, só quer defender o que acredita. Deixa pra lá. Ela vai melhorando... Já foi bem pior. Agora ela até já está entendendo que é errado desmatar a floresta para plantação.

— Não queria que ela ficasse brava comigo... Eu gostei... gostei de conversar com ela.

– Conversar? – riu-se André. – Acho que está na hora da gente voltar pra casa. Tchau, Priscila. Depois eu te vejo no mercado. Amanhã você vai lá, não é?

– Vou sim! Tchau, Hans.

– Tchau, Priscila – falei automaticamente. Fiquei triste por ter magoado a Midori. Não queria ter feito aquilo. Acho que preciso aprender a falar melhor, com mais calma. Ficar ofendendo as pessoas é a pior maneira de fazê-las entender o que a gente pensa.

– E aí, gostou da minha namorada? – perguntou André.

Bem... Isso já era outra história. Acho que eu ia começar a experimentar o meu novo jeito de falar com o André e tentar esclarecer, de uma vez por todas, que namoro era aquele.

– Ela sabe que você é *a namorado* dela?

– Como assim?

– Achei estranho, ela te tratou igualzinho a mim. É assim que se namora no Brasil?

– Primeiro que não é *a namorado*, e sim, o namorado. E que pergunta mais boba é essa? É claro que ela sabe que eu sou o namorado dela.

– Com beijinho no rosto? Pensei que no Brasil isso fosse somente coisa entre *amigas*.

— Amigos, Hans! Amigos. Ah quer saber, você já se meteu em muita confusão hoje. Não vou mais brigar nem corrigir você.

Eu ri e ele ficou quieto. Dessa vez eu sabia que era birra, como se diz por aqui. Vai ver ele quer tanto namorar a Priscila que ela acabará virando namorada mesmo, quem sabe?

Não havia trânsito na volta e acabamos chegando rápido na ONG. Vi as luzes acesas e percebi que meus pais já estavam em casa.

— Tchau, Hans. Amanhã a gente se fala. Pode deixar que quando chegar a carne de anta eu te convido pra comer, certo?

— Convida também a sua namorada. Se ela vier, eu vou!

André foi para a casa dele e eu entrei na ONG.

— Hans! Nossa, tem dias que eu nem te vejo direito. Eu saio você está dormindo, eu chego você está dormindo. Precisamos mudar isso — comentou minha mãe, ocupada com o jantar. — O que você fez hoje?

— Saí com o André. Fui visitar uns amigos.

— Você está conhecendo muita gente por aqui?

— Sim. O André sempre me apresenta alguém novo.

— Se você quiser levá-los no teatro para ver um ensaio, é só me avisar. Vamos gostar de ver você por lá.

— Obrigado, mãe. Na verdade, até já convidei e,

olha só, uma menina que eu conheci hoje te mandou um presente.

— Nossa, que lindo! — disse ela, experimentando o colar. — Quero muito conhecer seus novos amigos. Se depender de mim e do seu pai, você só vai continuar conhecendo músicos idosos. A gente não tem tido oportunidade de fazer nada a não ser cuidar da ONG e de mais um montão de coisas ao mesmo tempo.

Eu já estava pensando em ir para o meu quarto quando tive uma ideia que poderia, quem sabe, acabar com o mal-estar de hoje. Afinal, eu gostei da Midori e pretendia vê-la novamente!

7
Os dois lados da moeda

No dia seguinte, tudo corria como o planejado. Fui com o André até o mercado para nos encontrarmos com a Priscila. Ela iria levar algumas peças para serem vendidas em uma das lojas de artesanato.

"Tomara que dê certo", pensei.

As férias escolares estavam acabando e logo as aulas iriam recomeçar. Estava curioso quanto às pessoas que eu iria conhecer. Acho que fazia muito tempo que eu não ficava tão interessado com o início das aulas. André não estudaria na mesma escola, então eu faria realmente novos amigos. Talvez a gente se visse um pouco menos e eu perderia as oportunidades de passear, de me encontrar com o Miguel e até de fazer as coisas com as quais já havia me acostumado. Certamente, eu teria alunos de música e a vida entraria num ritmo em que o tempo para qualquer outra coisa seria escasso. Aquele era, portanto, o momento de aproveitar a folga e fazer tudo o que me desse vontade. A ordem era passear e me divertir. Eu percebi isso tudo depois que cheguei em casa na noite passada. Enquanto conversava com minha mãe, pensei em Midori. Talvez ela, como Priscila, também não conhecesse o teatro. Peguei o telefone da Priscila com o André, telefonei e perguntei se ela não queria ir visitar o teatro, já que estaria no centro da cidade no dia seguinte. Ela ficou bastante animada e foi aí que pedi que convidasse também a Midori. Ela disse que iria tentar. Achei ótimo e fiquei na expectativa.

– Lá está a Priscila – apontou André.

Estiquei o pescoço na esperança de ver Midori, mas não consegui. André apressou o passo e fui atrás dele. Priscila deu um beijo no rosto dele e só.

– Oi, Hans, tudo certo? – perguntou ela. – Adorei o convite. Que legal!

– E vai ser bom mesmo! – afirmou André. – Eu não sei de ninguém que conheça tão bem o teatro.

– É que já fui muito lá com os meus pais... – eu nem sabia o que dizia. Estava triste por causa da situação com a Midori.

– E não foi só eu quem gostou do convite. A Midori também adorou! – falou Priscila.

– Mas ela não... – nem terminei de dizer a frase e Midori surgiu segurando um coco.

– Ah, vocês chegaram – animou-se ela. – Querem tomar um pouco?

Eu agradeci, dei um beijo no rosto dela e... Fiquei feliz. Aguardamos mais alguns momentos, até que Priscila terminasse de entregar as mercadorias, e ficamos conversando. André se afastou e eu pude conversar com Midori sozinho.

– Desculpe por ontem... Não quis te ofender.

– Você não me ofendeu, não. Depois fiquei pensando no que você falou. Acho que eu não ia querer viver sozinha também. Mas a culpa não é minha. Quando cheguei, ele já estava lá...

– Entendo.

– Quem não ia entender era minha avó. Ela ia ficar furiosa com você.

– Ainda bem que ela não me ouviu, certo?

André apareceu atrás de mim rindo. Eu devia estar carregando no sotaque porque estava nervoso...

– Vamos! – disse ele.

Saímos do mercado e fomos em direção ao teatro. Já tinha me arrependido de não ter tomado a água de coco. O calor era, como sempre, intenso. A chuva, pelo menos, não iria demorar, ela fazia falta. Pelo jeito era mesmo verdade que na Amazônia existem apenas duas estações: a chuvosa e a muito chuvosa. Achava engraçado, porém, parecia que aquele ciclo era perfeito e, graças a ele, é que a floresta podia sobreviver. Miguel havia me explicado que a origem da chuva é metade da "transpiração" da própria floresta e do rio. A outra metade, da evaporação do mar.

— Quer dizer que a floresta transpira?! — impressionei-me.

— Sim — disse Miguel naquele dia. — Ela é um ser vivo e, como vários deles, transpira.

Aquela ideia nunca me saiu da cabeça, ainda mais quando eu recebia informações de que a floresta estava sendo devastada, destruída. Era muita estupidez. Se a destruíssem, uma boa parte da chuva iria desaparecer. Se isso acontecesse, no mínimo metade das árvores, dos rios e, principalmente, da fauna, também sumiriam. Não me conformava. O que será que teria que acontecer para as pessoas perceberem que não era um bom negócio destruir a floresta?

— Bem-vindos ao teatro! — disse ao chegarmos na escadaria que levaria até a entrada principal.

— Até parece que ele é seu! — ironizou André. — Mas sei de uma história que eu acho que você não conhece.

— Qual? — perguntei.

— Você está vendo o monumento que tem aqui na praça?

Havia uma estátua imensa no meio da praça, diante do teatro, que simbolizava a abertura dos portos de Manaus para o mundo.

— É impossível não ver, André — riu Priscila.

— E o chão? Ele significa alguma coisa pra você, Hans?

Olhei para o chão, entretanto, jamais imaginei que ele tivesse algum significado especial. A colocação das pedras formava um desenho de ondas, uma atrás da outra, intercalando uma preta, uma branca e assim por diante.

— Todo mundo que vem aqui pensa que a gente copiou o calçadão da praia de Copacabana, no Rio de Janeiro — prosseguiu André. — Não é verdade. A nossa praça é mais antiga e essas ondas significam o encontro das águas.

Quando André falou isso, puxei pela memória algumas imagens que eu tinha visto ao ficar esperando o avião no Rio e realmente notei a semelhança.

— Nossa, André! — comentou Priscila. — Não sabia que você era tão inteligente...

André ficou todo orgulhoso, mas eu achei que havia um pouco de brincadeira na voz da Priscila. Depois daquela explicação, em que o André mostrou que também conhecia a história de sua cidade, subimos a escadaria e, ao atingirmos a pequena rua que circundava o teatro para o trânsito de automóveis, mostrei a primeira coisa interessante dali.

— Vocês estão vendo a diferença na cor dos ladrilhos que cobrem a rua?

— É verdade! — observou Midori. — Alguns tijolinhos são muito mais escuros que os outros.

— É porque eles são revestidos de borracha. Isso foi feito para que o barulho das carruagens de antigamente não atrapalhasse o espetáculo.

— Isso eu também já sabia — falou André. — Quando é que você vai me dizer algo que eu não saiba?

Quase que eu falei pra ele que a Priscila não desconfiava que ela já tinha namorado. Nem de mãos dadas eles estavam, mas deixei pra lá. Ele conhecia o teatro porque já havia visitado e voltado algumas vezes ali comigo.

— Nós devemos seguir a excursão. Vamos só esperar o horário do próximo grupo — falei. Havia muitos turistas naquele dia e todos ficavam esperando no saguão de entrada o horário do início do passeio, que acontecia em inglês, português e espanhol.

— Nossa! — espantou-se Priscila olhando para o lustre. — Já pensou quantas velas eles tinham que colocar aí?

— Velas? Que velas? — eu perguntei.

— Nos lustres, veja só.

No hall de entrada podíamos ver os primeiros lustres do teatro, lindos, pareciam cachos de tulipas.

— Não precisavam de velas, Priscila. A cidade era tão rica e desenvolvida que já possuía luz elétrica. Só existia aqui e no Rio de Janeiro — expliquei.

Então, nossa guia chegou e deu algumas orientações sobre fotografias e barulho. Disse que estava acontecendo um ensaio da orquestra e que não deveríamos conversar em voz alta. Eu havia calculado o horário; sabia que meus pais estariam tocando naquele momento e seria uma oportunidade de mostrar para os meus amigos um pouco do trabalho deles. Após a guia nos exibir uma placa que dizia que o teatro havia sido inaugurado em 1896, atravessamos uma cortina e saímos diretamente na plateia.

– Nossa, que lindo! – admirou-se Priscila em voz alta apenas para que, em seguida, a guia a lembrasse do silêncio.

– Eu não podia imaginar que fosse tão bonito – comentou Midori em voz baixa.

A plateia era constituída por cadeiras forradas com veludo vermelho que substituíram as originais, de palha. Era um lugar extremamente aconchegante e ricamente decorado desde as paredes até o teto. Os camarotes principais eram ladeados por bustos humanos e os pequenos lustres em forma de tulipas ornamentavam cada uma das colunas que sustentavam as galerias.

– Queria subir até lá – disse Priscila apontando para a última das três galerias. – Assim eu ia poder ver o lustre mais de perto.

No centro do teatro existia um imenso lustre e ao redor dele pinturas que homenageavam um dos maiores compositores brasileiros, Carlos Gomes, de quem, aliás, era a ópera que meus pais estavam ensaiando naquele momento: *Il Guarany*.

– Quem são seus pais? – perguntou Midori.

Indiquei um de cada vez porque eles tocavam em lados opostos. Meu pai, com o violino, e minha mãe, com o violoncelo. Acima deles pairava suspenso o imponente pano de boca pintado com motivos amazonenses.

A guia nos chamou para continuar com a visita. Saímos da plateia e caminhamos pelos corredores nos quais ela foi nos mostrando pedaços da pintura original, do piso e também as escadas. O ápice da visita era o Salão Nobre. O piso era tão delicado e bonito que só podia andar por ali depois de calçar umas sandálias de veludo. Havia vários desenhos nele, todos compostos com madeiras nobres da região, como o pau-brasil, o jacarandá e o pau-amarelo.

– O mais interessante – afirmei – é que não bateram nenhum prego por aqui. Todas as madeiras foram cortadas e encaixadas perfeitamente.

Eu roubava algumas informações da guia e adiantava para Midori, principalmente. André seguia Priscila por onde quer que ela fosse, ou indo olhar uma

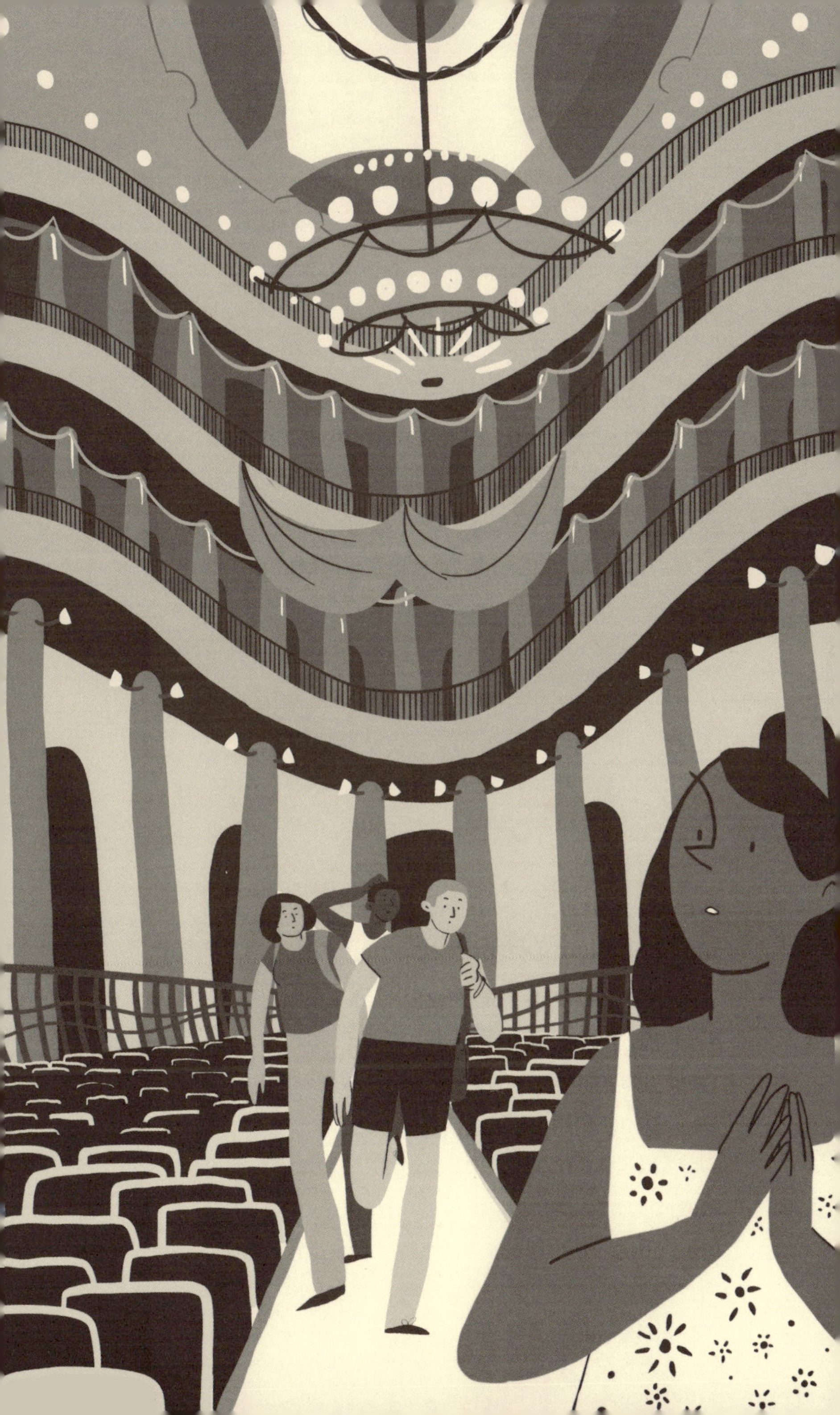

pintura na parede, ou indo se admirar em um dos espelhos do salão. Priscila se divertia com a sensação de fundo infinito. Havia dois espelhos, um em cada canto do salão, e ficando entre eles tinha-se a percepção de que o salão não possuía fim.

– Olha lá em cima, Midori! Para o anjo.

– Que interessante! – disse ela olhando para o imenso anjo pintado no teto. – Parece que ele está me seguindo com o olhar.

– É isso mesmo – respondi. – Foi de propósito. Ele foi pintado de maneira que a gente sempre tivesse a impressão de que está sendo observado, não importa onde você esteja no salão.

Midori não perdia uma só palavra que eu dizia. Foi bom ficar com ela, acho que já estava tudo certo entre nós. Na verdade, penso que nunca esteve ruim.

– Nossa, vindo aqui eu fiquei com vontade... – falou ela interrompendo a frase.

– Vontade de quê? – perguntei.

– De tocar flauta. Esse lugar nos deixa com vontade de aprender música.

– Se você quiser, eu posso dar aula pra você.

– Pode?

– Sim – confirmei animado. – É para isso que estou aqui e já sei o que fazer. Assim que sairmos do teatro vamos para minha casa, quer dizer, para a

ONG. Eu também moro lá e aproveito para te mostrar onde vou dar aula.

André apareceu rindo atrás de mim e perguntou:

— Gostou do teatro, Midori?

— Adorei.

— Então, vamos embora pra ouvir música — concluiu ele.

— Como assim? — estranhei. — Você quer ir lá embaixo escutar um pouco mais da orquestra?

— Olha, Hans, eu acho muito bonita aquela música, mas não dá pra dançar no teatro. Tenho uma outra ideia.

— Qual? — interessou-se Priscila.

— Vai ter um show na praia de Ponta Negra hoje, ou melhor, daqui a algumas horas, e a gente poderia ir lá — animou-se André.

— Combinado — eu disse. — Mas antes, vamos levar as meninas para conhecerem a ONG.

Terminamos o passeio com o grupo, agradeci a guia e fomos direto para a ONG. Midori viu todas as salas e ainda me pediu para tocar alguns instrumentos. Eu mostrei um por um. Até Priscila pareceu interessada, porém, logo desistiu, dizendo que não ia ter tempo para colocar mais uma atividade em sua vida. Já bastava o trabalho com as bijuterias. Em seguida, tomamos um suco de graviola, que minha mãe havia deixado na geladeira, e fomos pegar o ônibus para a tal da praia.

– Não entendi. Praia no meio da floresta? Como é isso? Praia, pra mim, é coisa lá do Rio de Janeiro – falei.

– É praia de rio – esclareceu Priscila. – Eu mesma nunca vi uma praia diferente. Tenho curiosidade de ver o mar.

– Acho que só a Midori já viu os dois tipos – comentou André.

– É verdade! – respondeu ela. – Lá no Pará a gente também tem praia de mar, mas eu não ia com muita frequência.

No ônibus, sentamos próximos: eu e Midori, Priscila e André. Os dois ainda não pareciam namorados, mas, pelo menos, desde o momento em que entramos no teatro eles só ficavam juntos.

Fiquei observando o caminho, e a paisagem era completamente oposta às outras que eu tinha visto até então. As ruas eram largas, bem asfaltadas. Existiam diversas árvores e não se via pobreza extrema.

– Nós estamos indo para um dos lugares mais badalados de Manaus – disse André. – Só moram ricaços por lá.

Quando chegamos, compreendi o que era uma praia de rio. Na verdade, era muito parecida com as que eu já conhecia. Havia uma faixa de areia e a água ficava indo e voltando, formando suaves ondas, nada que agradasse a qualquer surfista, mas apenas quem quisesse curtir um dia quente dentro de uma água tranquila.

— Temos que aproveitar mesmo, porque na época da cheia não tem praia nenhuma, só rio.

Não me cansava de achar aquilo impressionante. Da mesma maneira que no porto, o rio subia tanto que eu ficava imaginando de onde vinha e para onde ia tanta água.

— Não falei que aqui era um lugar só de gente rica? — disse André ao descermos do ônibus.

Uma moderna avenida com muitas faixas para automóveis nos dois sentidos acompanhava toda a linha da praia e, ao longo dela, edifícios imensos tomavam conta da paisagem.

— Antigamente não existia nada disso — comentou Priscila. — Era só a floresta. Meu pai trabalhou nessa região quando construíram um hotel de luxo que fica no fim da praia. Falou que tinha cobra, macaco, tudo. Era até perigoso trabalhar, precisavam tomar cuidado. Hoje está desse jeito.

Olhei para os condomínios e saltava aos olhos todo aquele luxo. Isso era uma coisa que me chamava a atenção no Brasil, a desigualdade social. Havia sempre algumas pessoas muito ricas e, a maioria ao redor, terrivelmente pobre. Pareciam até países diferentes. Ali, condomínios luxuosos, carros modernos, ruas limpas e, a menos de meia hora de distância, as palafitas, sujeira, fome e miséria.

— Então eles derrubaram uma área imensa da mata para fazer tudo isso, não é mesmo? — perguntei.

— Pode ter certeza — afirmou André. — E ainda derrubam. Veja só, vão construir mais alguns prédios enormes ali na frente.

— Vocês só querem ver o lado ruim das coisas — reclamou Midori.

— Ué, tem um lado bom em devastar as florestas, matar os animais, poluir o ar? — ironizou Priscila. — Então me conta porque eu não conheço.

— Não é bem assim, Priscila. Aqui tem bastante desenvolvimento, gente que trabalha, que trouxe dinheiro para cá. O que você queria? Que o povo daqui ficasse na pobreza para sempre, que a cidade nunca se desenvolvesse? Se fosse só miséria não ia vir ninguém pra cá, nenhum turista. Para quem você ia vender suas bijuterias, me conta? — argumentou Midori.

— Ainda acredito que dá para se desenvolver sem por abaixo a floresta. Adoraria saber se quem mora nesses prédios se preocupou em plantar uma árvore, uma só, para compensar todas as que eles destruíram para viver aqui — falou Priscila. — Aposto que muitos dos que moram com todo esse luxo ganharam dinheiro com a derrubada das árvores. Se bobear, até venderam a madeira.

— Tá, Priscila — continuou Midori. — E os empregos que eles geram? Aposto que tem um monte de gente que trabalha nesses condomínios... Acho que é fácil falar mal quando já se tem casa para morar, comida pra comer...

— Acho que entendi a Priscila — resolvi falar. — Ela não é contra o desenvolvimento. Ela só gostaria que não destruíssem tanto. Que se encontrasse uma maneira de fazer as duas coisas caminharem juntas: a preservação e o progresso.

— Acho bom você não se meter na briga delas — riu André.

— Não estamos brigando — disse Priscila. — Que mania, não podemos nem conversar...

— Também não gosto de derrubar as árvores — prosseguiu Midori. — Mas vai fazer o quê? É porque vocês nunca viram o pai de vocês chorando porque a colheita foi ruim, perdeu tudo por causa de muita ou de pouca chuva, ou sol em excesso. Eu já. E quando não conseguíamos vender os produtos por um preço justo? Vi muitas vezes meu pai pensando em vender os equipamentos da fazenda porque precisava pagar dívida em banco. Não é fácil. Aí, se for necessário desmatar um pouco para aumentar a plantação, variar o plantio, aparece um monte de gente dizendo que não pode, que é proibido. Até multar eles querem. Meu pai dá emprego para diversos trabalhadores, Priscila. Ele contrata na hora da colheita, do transporte, da embalagem. É muito serviço. Na hora do lucro, ele divide com todo mundo, mas no prejuízo, sobra só pra ele.

— Acho melhor a gente ir tomar um sorvete enquanto o show não começa. Vamos lá.

A ideia do André foi realmente boa. Os fatos que Midori parece ter vivido deram a ela uma visão bem diferente da nossa. Fiquei pensando em tudo aquilo. A floresta não é mesmo uma coisa só e, no fim, nós também somos parte dela. Tudo o que acontece por aqui acaba causando algum efeito nas pessoas, nos animais, no rio e até no planeta.

— Eu quero de morango! — pediu André já na sorveteria.

— Abacaxi pra mim — falou Priscila.

— Chocolate! Com um montão de cobertura — riu Midori.

— Açaí!

Eles começaram a rir de mim. Parecia que só eu tinha vontade de provar as frutas da região em qualquer lugar que eu fosse. Eles se contentavam com o tradicional. Pegamos os sorvetes e saímos caminhando ao longo da rua. A praia estava longe, tínhamos que descer algumas escadas para chegar até ela. Tudo havia sido construído bem distante do rio como proteção contra as cheias. De onde estávamos dava para ter uma excelente visão de todo o espaço.

— O que é aquilo lá embaixo? — perguntei.

— É onde vai acontecer o show! Um lugar muito legal!

Quando nos aproximamos, achei o local incrível: um imenso palco redondo, fixo, talvez feito de concreto e uma estrutura oval, que atravessava o palco de um lado ao outro, que deveria servir para prender os aparelhos de som e luz. A plateia também parecia ser de alvenaria e apresentava o formato de um teatro grego, como se fosse uma arquibancada de estádio de futebol circular, toda pintada de branco. Um show! A plateia já começava a se formar.

— Vamos logo pra lá ou não iremos conseguir um bom lugar — avisou André, correndo de mãos dadas com Priscila, quase namorados.

Eu continuei andando com a Midori, com vontade de ver o show, mas observando o sol se pôr no meio da floresta. Havia muitos mistérios, coisas desconhecidas: desde os animais que o homem nunca tinha visto até as propriedades medicinais de determinadas plantas. Era importante preservá-las, não podiam simplesmente desaparecer como se jamais tivessem existido. De qualquer maneira, um dos mistérios já estava resolvido. Eu e Midori estávamos chegando perto do local onde André e Priscila se acomodaram e, mesmo ao longe, deu pra ver que eles se beijavam.

Eram namorados!

8
Imitando a natureza

Priscila me contou que eu faria hoje um dos passeios mais incríveis da minha vida. Fiquei curioso pra valer. O show de ontem foi sensacional. Teve um pouco de tudo. Bandas locais tocaram algumas baladas e rock. Gostei de ter visto uma apresentação do que eles chamam aqui de *Boi*, um som animado com um ritmo forte feito para dançar bastante. No final, teve até música eletrônica.

– Você já viu o encontro das águas? – perguntou ela.

– Não – respondi. Já tinha ouvido falar naquilo, mas era mais um daqueles lugares famosos que eu ainda não havia tido a chance de conhecer.

– Amanhã vou levar você lá. Vamos todos: eu, você, a Midori e... o André – ela já estava falando o nome dele de um jeito diferente. – Já que você me mostrou o teatro, agora é a minha vez de te levar para ver uma outra coisa bem bonita.

– E como é que você vai conseguir levar todo mundo? – questionou Midori.

– Confiem em mim. Amanhã você vem comigo e

o André leva o Hans até o porto. Podem ficar tranquilos que vocês vão adorar o passeio.

Então ficou assim o combinado. Na manhã seguinte, logo me arrumei para aguardar pelo André; ele iria me chamar na hora em que estivesse pronto.

Aproveitei a demora do André e entrei na internet. Já fazia um tempo que eu não atualizava as redes e também precisava ficar a par das novidades. Não dava para fazer tudo o que eu queria na telinha do celular. Diversos amigos alemães queriam saber o que estava acontecendo comigo. Algumas fotos que eu tinha tirado do mercado ficaram excelentes; achei que eles fossem ficar curiosos com relação às frutas e postei todas. Depois que fiz essa parte social, fui ver as mensagens do Miguel, que eram as que mais me interessavam. Ainda não tive coragem de revelar para ele que eu tinha comido peixe-boi. Nem sei com que cara ele iria me olhar. Fiquei com medo, igualmente, de que aquilo pudesse prejudicar a família do André. Já havia ensaiado contar, porém, sempre ocorria alguma coisa que me fazia mudar de ideia. Uma vez, quando eu ia começar a falar, ele viu pessoas jogando pipoca no tanque dos peixes-bois. Nossa, ele ficou louco!

– Hans! Hans! Vamos! – gritou André, afinal.

Disparamos em direção ao porto. Outra vez fomos cortando caminho por ruas, para mim, desconhecidas e, assim, eu aproveitava para ver o que havia por ali. Muito comércio, pessoas andando apertadas. Logo avistamos o cais e, para nossa surpresa, um navio gigantesco estava ancorado no rio.

— Nossa, mas aquilo é um transatlântico! Não sabia que esses navios tão grandes vinham até aqui! — exclamei.

— Vêm sim — comentou André. — Sempre lotados de turistas.

Caminhamos no sentido do prédio da Alfândega, onde combinamos de nos encontrar. Eu já tinha lido sobre ele em um guia turístico de Manaus. Era mais um dos vestígios dos tempos da borracha. O prédio havia sido inaugurado em 1906 e foi construído em tijolos aparentes na Inglaterra e trazido desmontado para o Brasil. Foi um dos primeiros edifícios pré-fabricados do mundo e é uma cópia dos prédios londrinos do começo do século XX. Hoje o coitado sofre com a poluição, pois ocorre um tráfego pesado ao redor dele.

— Lá estão elas! — disse André.

Corremos em direção às garotas e André beijou Priscila, finalmente, como namorado. Eu me aproximei de Midori, timidamente, e demos um beijinho no rosto.

— Vocês viram o navio? Que lindo, não é? Está cheio de turistas.

— Então você vai fazer bons negócios, não vai? — brinquei.

— Se vou! — animou-se ela. — Antes de vir pra cá eu passei lá no mercado e deixei umas peças lindas que eu fiz. Montei algumas com botos e arraias esculpidos.

— Tem arraia por aqui? — estranhei.

— Sim, arraias de água doce e, acredite, temos até tubarão — respondeu André. — O tubarão-cabeça-chata consegue transitar pela água doce e pela salgada.

Fiquei bastante surpreso, pois eu tinha certeza de que tais animais só viviam no mar. Pelo jeito, as surpresas nunca terminavam.

— Eu sabia que esse barco ia chegar hoje e consegui uma carona pra gente — continuou Priscila.

— Carona? Vamos andar naquele naviozão? — empolgou-se André.

— Não, não é bem assim. Muitos turistas vão querer descer para conhecer a cidade e algumas vans ficarão circulando com eles por aí. Outros vão fazer um passeio no rio.

— Mas eles não estão viajando no rio faz um tempão?

— Sim, estão. Mas é um passeio diferente, com parada para andar na floresta, comer comida típica e ver o encontro das águas tranquilamente. Acho que nem eles aguentam ficar o tempo todo no navio, por mais luxuoso que seja.

— E onde é que a gente entra nessa? — perguntou André.

— Amigos da Priscila que arranjaram! — disse Midori. — Vamos pegar carona no barco que vai levar os turistas para passear no rio. De graça! Com direito a almoço e tudo.

Ficamos muito felizes.

— Tem alguns hotéis aqui que me chamam para ensinar os turistas a fazer bijuteria. Eles dão todo o material. Acabo ficando amiga de todo mundo e eles me prometeram o passeio. Foi só ligar para um dos hotéis e pedir os lugares. Até que foi fácil de conseguir porque, por causa do navio, tem mais barcos prontos para passear. Se fosse num período normal, seria complicado porque os barcos poderiam estar lotados. Deixa isso pra lá. Vamos nos divertir!

Fomos direto para o cais e vimos que um pequeno grupo de turistas se aglomerava na frente de um simpático barco com dois andares. A parte de cima dispunha de uma discreta cobertura para proteger do sol e da chuva e, na de baixo, havia uma porção de cadeiras para quem quisesse apenas ficar observando a paisagem. Logo estávamos todos no barco, misturados aos turistas.

O barco partiu lentamente e aos poucos a cidade de Manaus foi ficando distante. Tive uma sensação estranha dentro dele. Parecia que eu não estava no Brasil, mas sim, na Europa. Enquanto eu caminhava por entre as pessoas, de repente, escutava línguas que já fazia algum tempo que não ouvia. Parecia que eu tinha um superpoder: compreendia tudo o que diziam ao meu redor. Consegui identificar o inglês e o alemão. Havia um casal de franceses, que quase não falava. Também me divertia quando descobria brasileiros de outras regiões, os sotaques variavam muito e aí sim, eu não entendia nada.

– Hans! Hans! Corre, vem ver! – gritou Priscila apontando para um lugar no rio. – Olha lá, os botos!

Vi dois pequenos seres saindo agilmente da água. Eles pareciam acompanhar o barco. A pele cinzenta lembrava a dos peixes-bois, mas eu acho que eles nunca teriam aquela agilidade dos botos.

– *Look*! – entusiasmou-se um homem ao meu lado. De repente, uma massa de turistas se formou ao nosso redor. Faziam tanto barulho e tiravam tantas fotos que, se eu fosse um daqueles botos, sumiria dali rapidamente. Foi aí que eu percebi algo inusitado. Os turistas estavam bastante agitados porque se emocionaram ao ver o boto dando saltos no rio e precisavam registrar aquilo de qualquer maneira. Acabavam observando aquele espetáculo apenas pelo quadradinho do visor da câmera. Uma pena: ver os botos na natureza era uma das coisas mais lindas que eu já tinha visto na vida.

— A gente já vai fazer a primeira parada — disse Priscila.

— Para o almoço? — perguntou André.

— Só depois da caminhada na floresta! — respondeu ela. — É melhor, assim você fica com mais fome...

O barco se aproximou de um pequeno ancoradouro e um dos funcionários se dispôs a ajudar os passageiros a descer. Em seguida, um guia tomou a liderança e levou o grupo para o interior da floresta. Era uma trilha preparada para agradar aos turistas. O grupo caminhava um pouco e logo encontrava algo interessante que ele mostrava.

— Esta é uma seringueira... — ele então parava diante de uma árvore, com o tronco todo filetado, de onde escorria uma seiva branca que era recolhida em uma latinha. Ele explicava que aquela era a árvore da borracha. Depois que acabava a explicação em português, ele recomeçava tudo em inglês e, na sequência, em espanhol.

— Ah, não adianta nada ouvir tudo de novo — reclamou André. — Nem dá para entender.

— Vamos prosseguir sozinhos — falou Priscila.

— Não tem perigo? — questionei.

— Não. Eu já fiz essa trilha. Não tem como se perder. Eles vão acabar nos alcançando.

Adorei a explicação a respeito da seringueira, mas talvez Priscila tivesse razão, não dava para ficar ouvindo o mesmo relato tantas e tantas vezes. Havia uma parte da trilha que se transformava numa ponte suspensa, de onde era possível ver a vitória-régia flutuando sobre o rio. As árvores por ali eram bem mais altas do que as que eu tinha visto no Bosque. O chão era forrado de folhas, fofo, exatamente como André tinha me contado tempos atrás. O ar era mais fresco do que na cidade e eu também ouvia variados sons de pássaros.

— Ih, pronto! — falou o André. — Agora o Hans vai começar a reclamar...

Não entendi por que ele disse aquilo, porém, não ia demorar para que eu visse algo realmente incômodo: um garotinho segurando um pequeno animal com garras enormes.

— Que bicho é esse? — perguntei para Priscila.

— É um bicho-preguiça. Vai lá que o menino deixa você pegar nele.

— E não é perigoso?

Eles riram de mim. Acho que concluíram que se uma criança estava abraçada com ele, não deveria oferecer qualquer ameaça. Fui até o garoto e pedi:

— Posso segurar?

O menino me entregou o pequeno animal gentilmente. Tão logo eu o peguei no colo, ele se enroscou na minha barriga e tentou encontrar algum lugar para colocar os longos braços. Ele parecia estar sorrindo e era bem calmo. Vai ver era por isso que ele havia sido capturado.

— Onde você pegou *este preguiça*? — perguntei ao menino.

— Aí na árvore! — apontou ele.

— Mas você sabe se ele está com fome ou com sede?

— Já dei comida pra ele hoje.

— E o que é que ele come?

— Folha — respondeu o menino.

— Mas não era melhor ele ficar na árvore? — insisti.

— Hans, pare com isso — falou André. — Devolve a preguiça e vamos embora.

— Só queria...

— Eu sei o que você está querendo. Ele é só uma criança — disse André.

— Por isso mesmo — concluí. — É importante que ele comece a ter consciência desde pequeno.

Midori apenas olhava calada. Eu devolvi o bichinho para o garoto que, imediatamente, o colocou sobre uma mesa.

— O senhor pode me dar um dinheirinho? — pediu o garoto.

Ah, então era por isso: dinheiro. Eu olhei para a preguiça sobre a mesa e fiquei indignado. O pobre animal estava completamente desambientado. Ele certamente desejava permanecer em uma árvore, comendo, descansando. O garoto o prendia, sabe-se lá por quanto tempo, exclusivamente para mostrar aos turistas. O bichinho iria ficar estressado, doente. Resolvi não dar nada e segui em frente. Se ninguém desse dinheiro, talvez aquela situação pudesse ser modificada. Eu nem acho correto que crianças fiquem ocupadas em obter dinheiro o dia inteiro, esperando turistas. Deveriam estar brincando ou estudando, somente.

— Você se preocupa mesmo com os animais, não é? — perguntou Midori.

— Sim — respondi. — Não gosto de ver sofrimento onde não precisa haver.

— O menino só faz isso porque ele necessita do dinheiro.

— Explorar os animais não é a melhor forma de ganhar dinheiro. Ele já vai aprendendo desde cedo.

— Dá uma olhadinha pra trás, Hans! — avisou Midori.

Quando eu olhei, vi o menino pegando o bichinho da mesa e entregando-o para outro turista. As pessoas se aglomeravam para tirar uma foto, queriam alegar que haviam tocado num bicho selvagem. Eu já estava muito arrependido de ter feito aquilo, tinha sido um mau exemplo.

– Vou te devorar! – gritou André, batendo com um negócio na minha cabeça.

– O que é isso... – André segurava um peixe ressequido, envernizado, com a boca aberta para deixar os afiados dentes à mostra. – Ah, já sei, uma piranha. Mas que jeito de conhecer o peixe, morto numa estaca. Preferia que ela estivesse viva.

– Se você quiser eu te levo para nadar num rio cheio delas – gargalhou André. – Aposto que você não vai gostar...

– Relaxa! – falou Priscila. – Tem muito disso por aqui. Se você ficar assim o tempo todo, não vai aproveitar nada do passeio.

– Deixa eu devolver a piranha porque acho que o Hans não vai querer comprar uma de jeito nenhum.

André levou a piranha até uma pequena barraca que vendia vários tipos de artesanato, penas, colares e esculturas de madeira. Logo o resto do grupo tinha mesmo nos alcançado e fomos todos para um restaurante que flutuava no meio do rio. Havia um pequeno balcão de onde partia uma fila que já começava a aumentar. Cada turista segurava um prato na mão esperando o momento de ser servido.

— O que é que tem pra almoçar? — quis saber André.

— Pirarucu assado — respondeu Priscila. — Também conhecido como o bacalhau do Amazonas.

— Por quê? — me interessei.

— Porque depois que salgam a carne dele, fica parecendo com bacalhau.

— Você vai comer, Hans? — perguntou André.

Eu estava com fome e ainda não havia me tornado totalmente vegetariano, como eu pretendia. Iria almoçar o que tivesse, paciência.

— Por que, André? Qual é o problema? — questionei.

— E se o peixe estiver em extinção? — riu ele.

— Para com isso, André! — disse Priscila. — Deixa o Hans em paz. Pode comer sim, é uma delícia.

Se André desejava me deixar desconfiado, ele tinha acabado de conseguir. Todo mundo estava pegando o peixe. Como aquele era um restaurante até grande e que recebia muitos turistas, eu duvidava que ele estivesse servindo peixe em extinção. Peguei um pouco.

Sentamos todos juntos em uma mesa e foi um momento divertido, de descontração. Resolvi mesmo relaxar, não dava para ficar vigilante o tempo todo. E, depois, não ia adiantar nada.

Terminamos o almoço e, lentamente, fomos nos juntando ao guia que, já um pouco impaciente, parecia preocupado com o horário. Se fosse deixar, alguns turistas ficariam ali tomando cerveja o dia inteiro.

Voltamos a navegar. Ainda bem que não balançava muito senão eu teria passado mal. Algumas pessoas estavam sonolentas e o ritmo das conversas havia diminuído. André ficou namorando Priscila. Midori, ao meu lado, acompanhava calmamente a mudança da paisagem conforme o barco se deslocava. Eu estava contente por estar ao lado dela. Ela frequentemente sorria quando eu a chamava para mostrar alguma coisa. Na verdade, eram sempre ela, André e Priscila quem me apontavam bichos na floresta. Eles conseguiam ver araras e até macacos se mexendo nos galhos das árvores enquanto eu não percebia quase nada.

Notei que o barco diminuía a velocidade ficando, praticamente, imóvel. Uma nova movimentação se iniciou; imaginei a aparição de outro boto.

– Vem, Hans. Acho que chegamos – disse Midori puxando-me pela mão.

Fomos em direção à pequena mureta de madeira do barco e vi, encantado, o encontro das águas. As águas negras encontravam-se com as barrentas e não se misturavam. Era incrível, parecia água e óleo. Foi ali que eu vi a força da natureza. Um rio não tentava eliminar o outro, invadi-lo, tomar o seu espaço, apenas esperavam, com calma, o instante em que suas águas se uniriam para formar um dos maiores rios do mundo: o Amazonas.

Vendo aquilo eu me perguntei: será que algum dia as pessoas vão conseguir agir assim, em paz, sem destruir a natureza?

9
As pequenas grandes mudanças

— Quer dizer então que você comeu pirarucu! Quando eu contei para o Miguel como tinha sido o passeio de barco pelo encontro das águas, resolvi abrir logo o jogo. Não ia ficar escondendo como eu fiz com o peixe-boi, queria saber logo se e o quanto de erros eu teria cometido. Já me sentia culpado havia muito tempo e estava cansado daquilo.

– E você gostou?

Não era exatamente aquela pergunta que eu tinha imaginado. Julguei que ele fosse ficar irritado dizendo que eu havia praticado um crime contra a natureza, que eu era como todas as outras pessoas que não estavam nem aí com o que se passa no mundo. Depois, tive tempo para refletir: e se for uma pegadinha? E se ele estiver me testando? Se eu falar que gostei a coisa vai ficar pior ainda, se eu falar que não gostei poderá parecer que eu desperdicei algo.

– Eu gosto! – completou ele.

Fiquei surpreso. Então, provavelmente, eu não havia feito nada de errado.

— Ah, não tem problema? A gente pode comer carne de pirarucu?

— Sim – disse ele. – É bastante comum, tem até nos restaurantes da região. Tambaqui, pirarucu, tucunaré...

— Que bom! Pensei que eu tivesse feito alguma coisa errada, comido um animal silvestre, sei lá.

— Não, não tem problema. Quer dizer, tem problema se o peixe foi caçado de forma ilegal.

Gelei!

— E como é que eu vou saber se o peixe foi caçado de forma ilegal?

— Não vai! – respondeu Miguel. – Eu gosto de pensar que se está sendo vendido num comércio regular, da cidade, é provável que tenha vindo de algum criadouro. Existem algumas fazendas para a criação desses peixes e tudo é legalizado. Acontece que tem gente que faz a pesca dentro de um período ilegal, como o da reprodução. Ninguém pode pescar nessa época senão não haverá garantia de que teremos peixe no futuro.

— E isso acontece muito?

— Infelizmente, sim. O pirarucu não é só utilizado como comida. Fazem artesanato com as escamas dele. Alguns povos indígenas usam a língua para ralar mandioca, de tão dura que é.

— Eu vi umas máscaras no Mercado Municipal que eram feitas com as escamas.

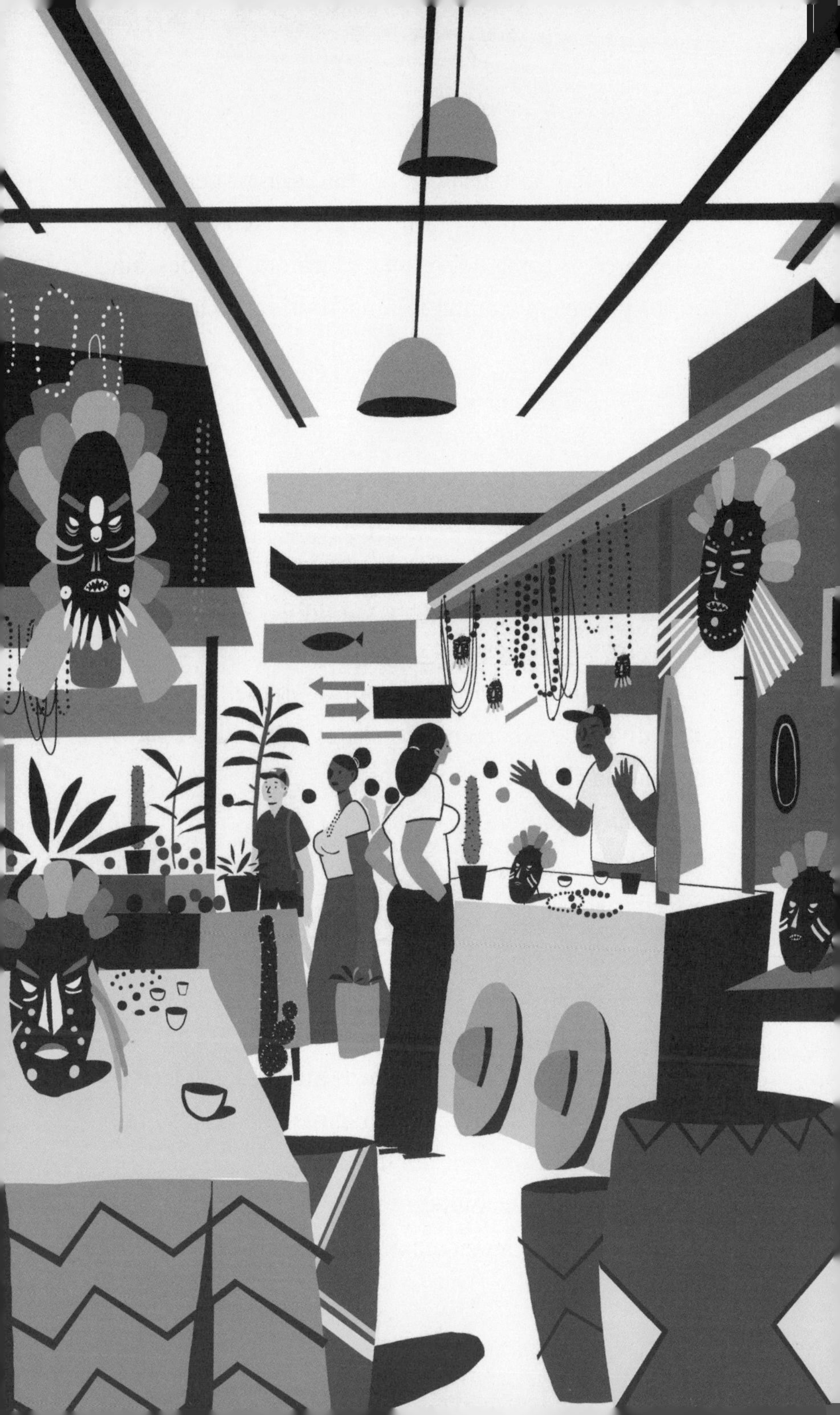

— Pois é isso mesmo. Não dá para ter certeza de que aquelas escamas vieram de um peixe pescado legalmente. Às vezes, são até de um que foi pescado muito jovem, que ainda não havia se reproduzido. É bem complicado.

— Mas o que a gente pode fazer para impedir que isso aconteça?

— Educação. Precisamos continuar mostrando o que é certo e o que é errado, só assim alguma coisa poderá melhorar. As pessoas precisam aprender que se elas destruírem a floresta e a fauna, a própria sobrevivência delas estará em perigo.

Era sempre bom falar com o Miguel. Ele é um cara divertido e bastante consciente de todos os problemas da região.

— Havia muitos turistas por lá?

— Sim — respondi. — Mas eu achei um negócio estranho.

— O quê?

— A floresta, algumas vezes, era apresentada como um parque de diversões. Os turistas pegavam nos animais, faziam barulho. Alguns até jogavam lixo no rio. Parece que eles não percebiam que ali era o habitat natural, o lugar verdadeiro.

— Sim, isso acontece mesmo. Algumas pessoas têm pouca consciência ecológica. Dizem que são capazes de sobreviver na floresta apenas para satisfazer o próprio ego. Bobagem. A maioria não aguentaria dois dias caso se perdessem. Não iriam encontrar água, comida e seriam picados por todo tipo de inseto que você puder imaginar. Também é preciso ter respeito. Fora isso, tem aspectos ainda piores.

– O quê? – perguntei.

– Existem alguns guias que, na vontade de querer agradar aos turistas, acabam oferecendo coisas que não deveriam, como macaquinhos ou crânios de jacarés.

– Nossa! Eles fazem isso?

– Sim. Tem gente que acha que é uma lembrança diferente para mostrar aos amigos. Compra, leva pra casa, depois acaba enjoando, não sabe o que fazer e joga fora. Enquanto isso, matam outros jacarés para continuar com essa história.

– Não é ilegal? Ninguém prende os criminosos?

– Não. Há uma coisa chamada corrupção, que é uma praga – explicou Miguel. – Se você oferecer uma boa quantidade de dinheiro para gente desonesta, eles fazem vista grossa, e eventualmente até participam dos esquemas ilegais. Vem cá, deixa eu te mostrar uma coisa.

Miguel me levou para uma sala onde havia algumas gaiolas vazias e pessoas trabalhando.

– Veja só o que entregaram aqui hoje – disse ele apontando para uma bela ave com um bico amarelo e enorme. – É um tucano. Você já viu algum desses antes?

– Não – respondi. Era uma ave muito bonita com um corpo preto e pequeno. Ela não se agitou quando eu me aproximei, parecia mansa.

– Ele foi abandonado aqui na porta. Talvez alguém tenha comprado e se arrependeu, ficou com medo de denúncia, mas o estrago já estava feito.

– Por quê? Ele tem algum problema?

– Sim – lamentou Miguel. – Um grande problema. Cortaram uma asa dele.

Pensei que aquilo não fosse nada demais. Imaginei que fosse algo como o que a avó da Midori fazia com o Gavião.

– Mas as penas vão crescer de novo, não vão?

– Não, Hans, você não entendeu. Cortaram de verdade a asa dele, a esquerda, não as penas. Assim, durante a venda estaria calmo, sem se agitar. Algumas vezes dão até pinga para o passarinho ficar quieto.

Olhei para a ave e vi que havia mesmo um toco escondido nas penas pretas do resto do corpo. Só olhando de perto dava para perceber.

– Ele nunca mais vai poder voltar para a natureza. São esses traficantes que não se cansam. Se a gente conseguir fazer com que as pessoas parem de achar legal ter bichos em gaiola, presos em casa, essa situação pode acabar.

Vendo tudo aquilo eu fiquei muito chocado. Resolvi contar para o Miguel que eu havia comido peixe-boi. Garanto que ele faria com que eu me sentisse menos culpado. Porém, quando eu ia começar a falar, o celular tocou e no visor apareceram as seis letras mágicas: M-I-D-O-R-I.

— Alô — atendi pedindo licença para o Miguel. — Midori?

— Hans! — choramingou ela do outro lado.

— O que foi? Está tudo certo? Sua voz está meio estranha.

— É que... será que você poderia vir na minha casa?

— Aconteceu alguma coisa?

— Sim, é que...

O sinal caiu. A bateria do meu celular estava muito fraca. Pensei em pedir pro Miguel me deixar telefonar, mas decidi ir direto para a casa dela.

— Miguel — falei —, preciso ir embora! Depois eu volto. Eu queria saber se há algo que eu possa fazer para melhorar essa situação. Tenho tempo livre.

— Você já tem ajudado bastante com a divulgação nas redes sociais, em tantas línguas... Educação, como eu te expliquei. Mas faça o seguinte: volte aqui amanhã e traga os seus amigos, é provável que ocorra uma coisa bem legal.

    Miguel me deixou curioso, mas eu estava com pressa. Depois eu ligaria para ele para saber mais detalhes. Saí do Inpa e fui para o ponto de ônibus. Entretanto, no meio do caminho, preferi pegar um táxi. Durante o trajeto fiquei pensando em tudo o que Miguel havia me falado e mostrado. Quando cheguei ali, em Manaus, não imaginei que fosse me envolver tanto com a história da preservação dos animais. Julguei que fosse ficar na ONG, ensinando música, fazendo o que meus pais haviam pedido, mas eu começava a descobrir os meus próprios interesses, o meu destino.

    — O que aconteceu? — perguntei ao, finalmente, ver a Midori.

    — O Gavião morreu — disse ela com lágrimas nos olhos. — De uns tempos pra cá ele foi parando de fazer barulho, ficava quietinho. Hoje de manhã, minha avó acordou e foi cuidar dele e o viu caído na base da gaiola. Ela está numa tristeza só. Desculpe estar chorando desse jeito, é que, como eu te disse... o Gavião era mesmo como se fosse da família.

    Eu estava triste por Midori, mas não compreendia como é que poderia ajudar. Até entendia o que se passava porque eu também já havia ficado infeliz numa situação parecida. Eu ganhei um cachorro que meus pais, depois de muito custo, me permitiram ter. Era um cão pequeno e meu único trabalho era sair para passear com ele uma vez por dia. Meus pais me comunicaram que a responsabilidade sobre ele seria inteiramente minha. Eu adorava o Bob, era esse o nome dele. Ele sempre ficava me esperando, na porta do meu quarto, para brincar. Não era de latir insistentemente, por isso os vizinhos nunca reclamaram. Ele me deu sete anos de muita alegria. Um dia, entretanto, percebi algo errado. Ele não tinha aparecido para me esperar e, quando fui levar para ele um de seus biscoitos favoritos, simplesmente me ignorou. Falei com minha mãe e o levamos para o veterinário. Ele o examinou e falou que o cachorro estava velho, adquirira uma doença que eu nem me lembro mais o nome e que o melhor seria sacrificá-lo. Não podia acreditar naquilo. Como é que eu iria mandar matar um amigo, um parceiro? Não concordei. Resolvi que, assim como eu fizera enquanto ele estava bem, iria cuidar dele até o fim. E cumpri a promessa. Ele foi ficando cada vez mais quieto, comendo menos, porém, eu não desistia, acreditava que ele poderia escapar. Mas, em uma manhã, minha mãe me chamou e avisou que ele havia morrido. Fiquei muito triste, triste mesmo. Então, eu compreendia a Midori naquele momento.

– Preciso que você me ajude, Hans. Acho que

você é a única pessoa que vai conseguir convencer minha avó.

Não entendi o que a Midori queria. Eu nem conhecia a avó dela, como é que eu iria fazer qualquer coisa? Convencê-la do quê, afinal de contas?

— O que tem sua avó?

— Ela não se conforma. O Gavião era o único companheiro dela. Eu fico fora quase o dia todo, estudando. Minha tia trabalha. Então minha avó fica sempre muito sozinha.

— Então dá pra entender porque ela está tão chateada...

— Sim, só que ela não quer ficar sozinha de novo. Disse que vai mandar arranjar outro papagaio.

Achei estranha aquela atitude. Quando o Bob morreu eu não quis saber de cachorro durante um bom tempo. Pensei que nunca mais iria sentir a mesma coisa por outro animal. Entretanto, os meses se passaram e logo comecei a achar que deveria pegar outro, dessa vez um animal rejeitado, que precisasse de alguém que cuidasse dele. Acabei deixando aquela ideia de lado em razão dos novos planos dos meus pais, mas no momento em que Bob morreu eu não queria saber de cachorro de jeito nenhum.

— E onde é que ela vai arranjar outro?

— É muito fácil, Hans. Existem pessoas que capturam e revendem aqui na cidade. É só pedir, mas eu não gostaria que ela fizesse isso.

Olhei para a Midori e pressenti que eu estava vendo outra pessoa. Há pouco tempo ela defendia com unhas e dentes as atitudes de sua avó e agora parecia estar totalmente contra.

– Afinal, o que é que eu posso fazer?

– Você é a pessoa que eu conheço que mais entende desse assunto. Pensei bastante em tudo o que você disse e vi como se comportou no passeio. Acho que tem razão. É melhor que os bichos vivam na floresta. Não é justo mantê-los presos, afastados de sua própria família. Eu não queria que isso acontecesse comigo. Já sei como é difícil viver longe dos meus pais, mesmo podendo falar com eles de vez em quando. Imagine uma situação dessas para o resto da vida.

Fiquei contente ao ouvir tudo o que a Midori dizia e muito orgulhoso de minhas atitudes. Eu não havia feito grande coisa, apenas conversado com ela; no entanto, acho que o fundamental é que fui fiel e honesto com o que eu pensava. Nunca agi de forma diferente da que acreditava e ela acabou percebendo, por si só, como era importante proteger os animais.

– Mas o que é que eu vou falar? É melhor você mesma conversar. Só vou ficar ouvindo.

— É que eu também não sei o que dizer. Não posso desrespeitar a minha avó. A gente precisava fazer ela entender...

Foi então que eu tive uma ideia.

— Onde está ela?

— No quarto.

— Chame ela aqui para a sala. Vamos tomar um suco juntos, me apresente a ela primeiro.

— Tá bom — assentiu Midori indo em direção ao quarto da senhora.

Midori voltou com a avó. Era uma mulher baixinha, magra, do tamanho da garota. Não conseguia precisar a idade dela, porém, deveria ser um pouco avançada. Levantei-me para ajudá-la a vir para a sala, mas ela era ágil e ficou claro que não precisava do meu amparo.

— Este é o Hans, vó, um amigo meu.

A senhora me cumprimentou e disse:

— Estou muito triste. Morreu meu papagaio.

— A Midori me contou. Que pena, né?

— Eu gostava tanto dele. Gavião era meu companheirinho.

— Entendo — falei. — Também perdi um animalzinho que era meu amigo.

A senhorinha se interessou pelo Bob e eu lhe contei toda a história. No final, ela estava com lágrimas nos olhos.

— Agora vou arrumar outro — atestou ela. — Vou cuidar direitinho, do jeito que eu cuidava do Gavião.

— Se a senhora quiser — falei —, eu posso arranjar outro rapidinho.

Midori me olhou como se eu estivesse louco.

— Você tem algum? — perguntou ela.

— Não. Mas consigo encomendar até uma ave bem diferente. Tenho um amigo que tem um tucano, bonzinho, bonzinho.

— Tucano não fala! Eu quero um passarinho que me chame.

— Ah, que pena. Porque esse já está com a asa cortada, não vai voar nunca mais.

— As penas crescem. Ele voará de novo sim.

Foi aí que expliquei o que tinha acontecido com o tucano. Contei com detalhes e ainda aproveitei para falar de todas as crueldades que faziam com as aves. Procurava não deixar a história tão pesada, mas não sabia como usar palavras diferentes das que o Miguel havia utilizado.

— Não conhecia essas maldades — lamentou a senhorinha. — Eu tratava do Gavião como se fosse um membro da família.

"De novo aquele velho papo", pensei.

— Eu sei — concordei com ela. — Midori me falou.

A senhorinha pediu para se levantar, estava cansada e queria ir dormir um pouco. Midori a ajudou a ir para o quarto e retornou em seguida.

– Eu também preciso ir. Estou fora de casa desde manhã. Aposto que meus pais vão começar a me ligar sem parar.

Midori foi comigo até a porta e eu fiquei muito contente.

– Obrigada por ter vindo. Eu não sabia com quem falar. Aqui em casa todo mundo acha normal ter um bichinho. Minha tia não liga, pra ela tanto faz. Eu pensava assim, mas agora...

Ela não completou a frase, porém, imaginei um montão de coisas que ela poderia me dizer.

– Não fiz nada – falei. – Só dividi o que eu tenho aprendido. Acho difícil mudar a cabeça de uma pessoa como a sua avó, já tão idosa, que conhece mais da vida do que nós dois juntos.

– O mundo muda... As pessoas mudam.

– Eu também, Midori. Depois que vim pra cá, minha visão da natureza mudou bastante. Já não é mais aquela coisa de ouvir contar. O Amazonas sempre me pareceu distante, pensava que eu não tinha nada a ver com o que se passava aqui, e olha que eu sou estrangeiro. Mas vendo tudo, estando tão perto, percebo que tenho a ver com o assunto sim.

– Vou falar com a minha avó. Agora eu posso conversar melhor com ela. Não vai ser só a netinha dela que está falando. O que você falou foi muito importante. E, depois, está na hora de eu honrar o nome que tenho.

— Como assim? — perguntei.

— Meu nome, Midori, significa "verde" em japonês. Meus pais me deram esse nome em homenagem à floresta, a tudo o que a gente conhece...

— Que legal, Midori. Então você está mais ligada à floresta do que eu imaginava.

— Sim, Hans.

Eu queria falar mais, porém, não conseguia, faltavam as palavras.

— Obrigado por ter me chamado, Midori. Gostei muito de ter vindo aqui hoje. Será que... Que...

— O quê?

— Você vai fazer alguma coisa amanhã?

— Não. Nada de importante. Só espero que eu consiga tirar aquela ideia maluca da cabeça da minha avó. Por quê?

— Sei lá... Se você quiser, a gente poderia se encontrar. Programar...

— Tá bom!

— ... um passeio.

— Sim.

Ela aceitou. Fiquei tão feliz que as palavras se enrolaram mais ainda. Combinamos um horário para o encontro e Midori resolveu me acompanhar até o ponto de ônibus. De repente, o celular tocou e no visor apareceu o nome: Miguel.

— Alô, Hans! — falava ele animado. — Aconteceu! Aconteceu, cara! Um negócio incrível. Um dia antes do que a gente previa. Venha aqui amanhã, sem falta.

— É urgente? Se for, vou aí agora, mas fala rápido porque meu celular vai apagar de vez daqui a pouco.

— Calma. Hoje já está tarde, vamos fechar. Te espero amanhã cedo, certo? Pode trazer seus amigos.

Desliguei, supercurioso.

— O que foi, Hans? — perguntou Midori. — Que cara é essa?

— Não sei, mas deve ser algo sensacional.

O ônibus chegou. Me despedi da Midori, desta vez de um jeito melhor, diferente. Acho que não tinha acontecido alguma coisa boa só com o Miguel, mas comigo também, e especial.

Acho que eu estava gostando da Midori, muito, muito mesmo!

10
Uma delicada surpresa

No dia seguinte, Midori, Priscila, André e eu combinamos de nos encontrar para ir até o Bosque da Ciência. Marcamos na Alfândega e dali fomos para o ônibus. Priscila e André sentaram-se em um banco à frente, eu e Midori, logo atrás.

— Hans! — disse Midori. — Você não vai acreditar no que aconteceu ontem!

— O quê? — perguntei.

— Minha avó mudou de ideia, não quer mais outro papagaio.

— Que legal, Midori. Quer dizer então que a nossa conversa deu resultado?

— Sim. Depois que você foi embora eu conversei com ela de novo e ela falou algumas coisas interessantes, um pouco tristes...

— Tristes? Ela ainda está chorando por causa do Gavião?

— Sim, mas chegou à conclusão de que não valia a pena ter outro em casa. Ela lembrou que um papagaio vive muito e que ela, provavelmente, não iria sobreviver a ele. Ela não iria gostar de ver o seu bi-

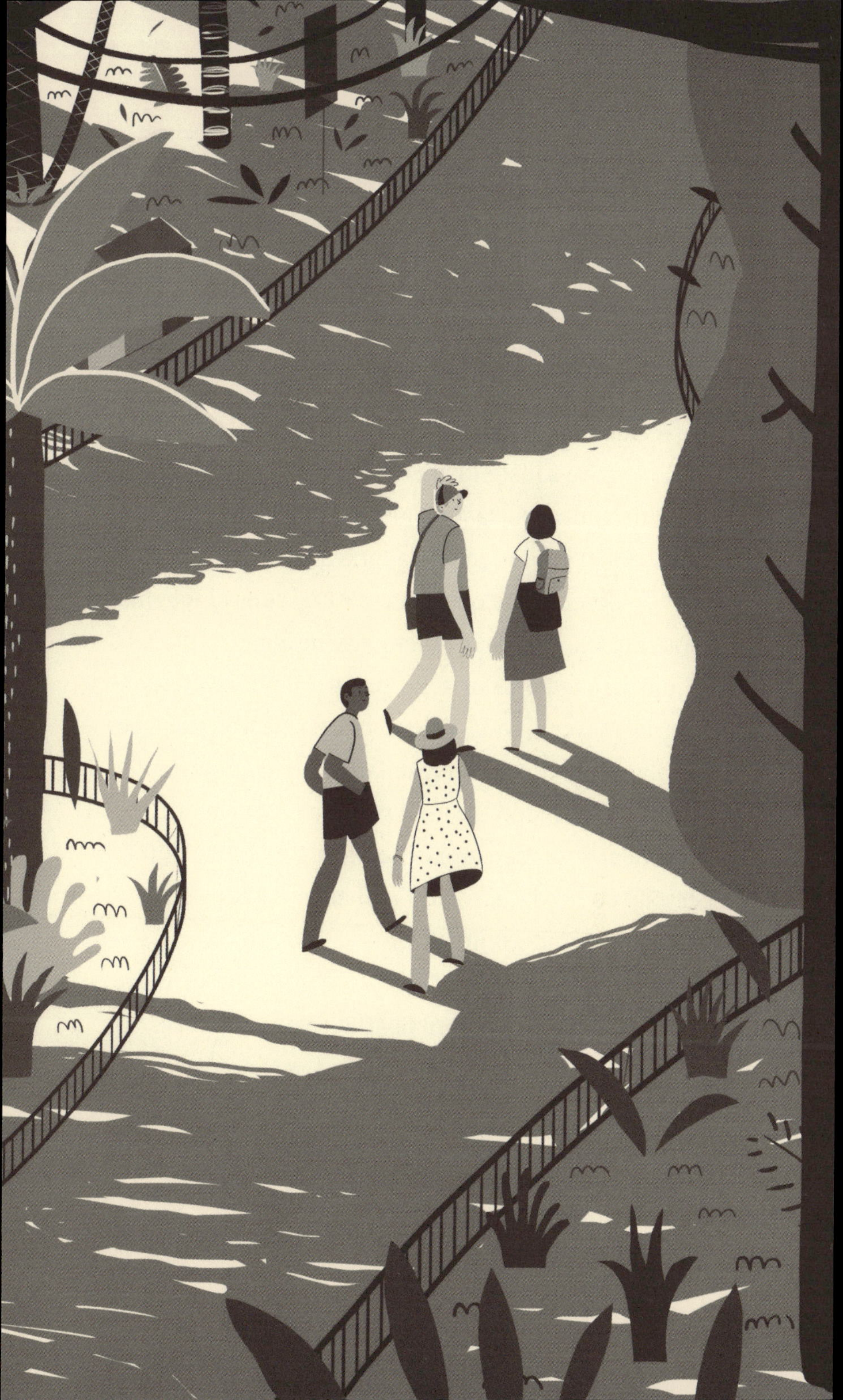

chinho pulando de mão em mão quando ela não estivesse mais por aqui.

— É triste, mas é verdade.

— Então ela decidiu que ficaria sem mesmo. Que iria procurar alguma outra coisa pra fazer. Talvez fosse se dedicar ao jardim. Ela adora plantas.

— Que bom, Midori!

Eu estava satisfeito em saber que a avó da Midori tinha chegado àquela conclusão, embora não fosse a ideal. Fiquei pensando se ela teria a mesma consciência caso descobrisse que iria viver mais uns cinquenta anos. Bem... Pelo menos, em algum lugar da floresta, um papagaio estaria protegido: poderia crescer, procriar, levar a vida dele em paz. Na verdade, eu havia conseguido outro resultado e mais importante: Midori. Ela mudou muito a própria cabeça só de me ouvir falar e também por observação. Quantas outras pessoas eu ainda não teria a chance de convencer a mudar de comportamento?

— Eu sei o que aconteceu ontem — disse André virando-se no banco para falar comigo e Midori.

— E o que foi? — perguntei.

— Vocês não viram TV? — continuou ele.

— Não — respondi.

— Então vão ter que esperar até chegar lá. Eu não vou estragar a surpresa. E não vale procurar no celular!

Priscila insistiu para que ele contasse, mas André prosseguiu calado. O ônibus parou e todos descemos. Deu pra perceber que ocorria uma movimentação um pouco maior diante do Bosque e, de imediato, já deu para ver o que estava acontecendo. Havia alguns cartazes, certamente pintados por crianças, comemorando o evento.

"Bem-vindo ao mundo, peixinho-boi!"

"O novo filhote é lindo!"

"Viva o peixe-boi!"

Havia muitas pessoas olhando para os tanques e estava difícil se aproximar. Por sorte, avistei Miguel tentando controlar o acesso.

– Miguel! Miguel! – acenei.

Ao me ouvir, ele veio na nossa direção, feliz da vida.

– Olá, Hans! Que legal que você veio!

– Tudo bom, Miguel? Que boa notícia! Estes são o André, a Priscila e a Midori.

– Ainda bem que vocês vieram hoje, como eu pedi. O filhote acabou de nascer e, provavelmente, o removeremos daí para que se desenvolva com segurança. Depois de crescido, juntaremos com os outros novamente. É um procedimento recomendável. Hoje as pessoas estão curiosas e, por isso, vamos deixá-la aqui mesmo.

– Deixá-la? – estranhou Priscila. – É uma fêmea?

— Sim — respondeu Miguel. — É uma menina.

— Então não é um peixe-boi — riu-se André. — É um peixe-vaca.

— Mais ou menos — respondeu Miguel. — Na verdade, por mais esquisito que pareça, o feminino de peixe-boi não é peixe-vaca.

— Não?— estranhou Midori.

— Não! Alguns pesquisadores chamam de peixe-boi fêmea — prosseguiu Miguel. — Mas muitas pessoas conhecem como peixe-mulher.

— Peixe-mulher? — espantou-se André. — Que engraçado, não tem nada a ver. Por que será que é isso?

— Vou deixar isso para vocês descobrirem. Se eu contar, perde a graça. O que eu posso dizer, com certeza, é que é muito importante o nascimento em cativeiro de um animal como esse que está tão ameaçado de extinção.

Achei que aquele momento era o certo para contar para Miguel o que tinha acontecido e que me incomodava havia tanto tempo. Esperei meus amigos se afastarem um pouco e relatei toda a história do dia em que comi peixe-boi. Ao mesmo tempo em que ele prestava atenção em tudo o que eu dizia, não tirava os olhos do comportamento das pessoas junto ao tanque.

— Calma, Hans! — disse ele. — Infelizmente, essa prática permanece, mas o povo está melhorando. Alguns dos ribeirinhos ainda praticam essa atividade. Às vezes, nem é isso que eles estão querendo fazer, caçar peixe-boi, mas, quando pescam, eles se utilizam de uma das maiores ameaças para nossos bichinhos.

– Qual? – perguntei.

– A rede de pesca. Os filhotes se enroscam e se machucam seriamente: a cabeça, o rabo. Alguns pescadores recolhem os animais feridos e os entregam para o Ibama, outros, comem.

Fiquei imaginando se teria sido daquela maneira que haviam capturado o peixe-boi que eu acabei comendo.

– O Caco veio para cá exatamente nessa situação.

– Quem é Caco? – questionei.

– É aquele filhote que está ali no tanque – disse ele apontando para um filhote já meio grandinho. – Ele chegou aqui bastante ferido. Nós cuidamos dele, demos muitas mamadeiras, tratamos das feridas e agora ele está aí, vivendo e se recuperando muito bem.

– Gostei do nome dele – falei. – Caco! E por falar nisso, qual vai ser o nome desta que acabou de nascer?

– Ainda não sabemos, mas tivemos uma ideia brilhante! – disse Miguel.

– Qual?

– Vamos fazer um concurso na cidade para escolher o nome do filhote. Vai ser uma forma de divulgar o nosso trabalho e também de conscientizar as pessoas sobre a necessidade de preservação desse animal. Assim, quem sabe, as pessoas começam a comer outras coisas.

Fomos nos aproximando novamente da turma e eu contei para eles a novidade que Miguel havia me dito.

— Que legal! Adorei a ideia — comentou Midori. — Vou trazer minha avó para ver o peixe. Aposto que ela vai gostar daqui.

— Agora, vocês me desculpem, mas estou muito ocupado — avisou Miguel. — Passeiem à vontade e, se tiverem alguma dúvida, podem vir perguntar.

Demos mais uma espiadinha no filhote e saímos dali. Cada vez chegava mais gente para vê-lo, na maioria turistas com suas câmeras e filmadoras. Acho que o objetivo principal do concurso era mesmo o de atrair a atenção dos moradores da cidade, que, no dia a dia, aprenderiam a valorizar e a respeitar as riquezas naturais da região.

Resolvemos dar uma caminhada pelo parque. André e Priscila iam, para variar, à frente. De vez em quando eles davam uma olhadinha para trás como se esperassem que acontecesse alguma coisa diferente. Dei um pequeno desvio e parei junto a um tanque de tambaquis, onde eu e Midori ficamos sozinhos.

— Daqui a pouco tudo isso vai acabar — eu falei.

– O quê? – perguntou Midori. – A floresta?
– Não – respondi. – Tomara que não.
– Então o que é que vai acabar?
– Essa folga toda. Esse tempo que eu tenho para passear, ver as coisas, sair com você. Quer dizer, sair com você, com a Priscila e o André.
– Você vai ficar tão ocupado que não vai sobrar tempo pra mais nada?
– Vou começar a ir para a escola. Também vou ensinar música. Ah sim, falando nisso, precisamos pensar nas suas aulas.
– É verdade – concordou Midori. – Não vejo a hora.
– Vou querer que me mostre, de novo, o canto dos passarinhos que você aprendeu.
– Vou ter que relembrar. Tem uns que eu me esqueci. Hans...

Midori fez uma pequena pausa.

– Eu gostei muito de conhecer você.

Senti um frio na espinha.

– Sabe... – continuou ela. – Eu não tinha pensado em um monte de coisas, achava que tudo duraria para sempre. Só então que comecei a perceber... Não me lembro do canto de algumas aves porque elas simplesmente desapareceram da região onde eu morava. Quando existia mais floresta, eu escutava diversos pássaros, mas depois que os proprietários derrubaram as árvores para aumentar as plantações, as aves sumiram. Acho que nós destruímos mesmo a casa delas e elas foram embora.

— Também tenho aprendido bastante — falei. — Essa realidade é nova, diferente. Nunca pensei que eu fosse me envolver tanto assim, mas... Como se diz por aqui, há *mals* que vem pro bem — Midori fez uma cara estranha, de riso. — O que foi? Eu disse alguma coisa errada?

— Sim — riu-se ela. — Há males que vêm para o bem.

— Sim — continuei. — Se eu não tivesse comido a carne de peixe-boi na casa do André, talvez eu não teria seguido esse caminho. Ficaria somente pensando em dar aulas. Quando eu percebesse que havia tudo isso acontecendo, provavelmente só encontraria o canto dos pássaros em partituras, vai saber...

Fiquei muito feliz em ter sido corrigido por Midori. Comecei a errar mais, de propósito, para ver se ela continuava a fazer aquilo. Deu certo. Foi então que percebi que ela estava mais à vontade comigo, tinha liberdade para me corrigir. Isso era bom, excelente, aliás. Voltamos para a trilha. Estendi a mão para ela e ela correspondeu. De repente, surgiram André e Priscila, que trocaram um olhar quando nos viram juntos.

– Hans, tenho que voltar para casa. Meu pai me pediu para ajudá-lo numas coisas lá na ONG e eu preciso ir agora.

– Tá bom! Vamos somente dizer tchau pro Miguel.

Fomos ao tanque, que prosseguia repleto de turistas, e acenamos para Miguel ao longe. Ele parecia estar muito ocupado e só devolveu o aceno. Caminhamos para fora do Bosque em direção ao ponto de ônibus.

– Midori, eu vou com André na casa dele. Você quer vir conosco ou prefere voltar sozinha? – perguntou Priscila.

Sozinha ela não ia retornar porque eu a levaria, com certeza, mas ela acabou dizendo que nos acompanharia. Conversamos bastante no caminho de volta. Estava um dia gostoso, sem qualquer sinal de chuva.

– Hans! – disse André, já pertinho da ONG. – Eu precisava ver uma coisa no seu computador, na internet. Será que você poderia me ajudar?

– Claro, André. Vamos lá.

Seguimos todos para a minha casa e eu mal pude acreditar no que vi!

– Surpresa!!!!!! – gritaram todos ao mesmo tempo.

– Feliz aniversário, filho! – comemorou minha mãe! – Pensou que tivéssemos esquecido?

Na verdade, eu não esperava. Foi uma grande surpresa. Normalmente, na Alemanha eu sairia com meus amigos, dançaria para comemorar. Nem tinha me passado pela cabeça uma festa de aniversário no Amazonas. Eu nunca havia pensado nisso porque, afinal, não conhecia ninguém por ali, quer dizer...

— A gente te enganou direitinho — falou André. — Ficou ainda mais fácil quando o Miguel ligou te chamando para ver o peixe-boi.

— Ele sabia da festa? — perguntei.

— Até te mandou um presente — disse Priscila estendendo uma sacolinha. — Foi difícil de colocar dentro da minha bolsa para que você não visse.

Era uma camiseta e ela trazia a foto de um peixe-boi nadando com o filhote, onde se lia: AJUDE A PROTEGER A FAUNA E A FLORA DO AMAZONAS. Era perfeita! Tudo era perfeito. Meus pais, meus amigos, a festa e todas as oportunidades que surgiam. Fiquei feliz em perceber que eu não estava sozinho, que por menor que fosse a atitude que eu tomasse, sempre encontraria alguém que me apoiasse. Eu sabia que não poderia mudar o mundo, mas, quem sabe se aos poucos, com cada um aprendendo e fazendo a sua parte, essa história não estivesse apenas começando.